D0800097

J'étais Isabeau

Visitez le cœur de Soulières éditeur :
www. soulieresediteur.com

**Du même auteur,
chez d'autres éditeurs**

Magalie – Sauvons grand-papa ! éditions Michel Quintin, coll. Le chat et la souris, 2007

Votez pour Magalie, éditions Michel Quintin, coll. Le chat et la souris, 2006

Magalie, le livre parfait, éditions Michel Quintin, coll. Le chat et la souris, 2005

Le grand amour de Jérémie, éditions Michel Quintin, coll. Le chat et la souris, 2004

Le nouvel ami de Magalie, éditions Michel Quintin, coll. Le chat et la souris, 2004

Les pissenlits de Magalie, éditions Michel Quintin, coll. Le chat et la souris, 2003

Radar, porté disparu, éditions de la Paix, coll. Dès 6 ans, 2002

Sacré Gaston ! éditions de la Paix, coll. Dès 6 ans, 2000

Yvan DeMuy

J'étais Isabeau

SOULIÈRES ÉDITEUR

case postale 36563 — 598, rue Victoria
Saint-Lambert (Québec) J4P 3S8

Soulières éditeur remercie le Conseil des Arts du Canada et la SODEC de l'aide accordée à son programme de publication et reconnaît l'aide financière du gouvernement du Canada par l'entremise du Programme d'Aide au Développement de l'Industrie de l'Édition (PADIÉ) pour ses activités d'édition. Soulières éditeur bénéficie également du Programme de crédit d'impôt pour l'édition de livres – Gestion Sodec – du gouvernement du Québec.

Dépôt légal: 2009
Bibliothèque nationale du Canada
Bibliothèque nationale du Québec

Données de catalogage avant publication (Canada)

DeMuy, Yvan

J'étais Isabeau

(Collection Graffiti ; 50)
Pour les jeunes de 11 ans et plus.

IISBN 978-2-89607-092-3

I. Titre. II. Collection.
PS8557.E482J4 2009 jC843'.6 C2008-942115-9
PS9557.E482J4 2009

Illustration de la couverture :
France Brassard

Conception graphique de la couverture :
Annie Pencrec'h

Copyright © Yvan DeMuy et Soulières éditeur
ISBN 978-2-89607-092-3
Tous droits réservés
58950

À Denise, ma mère

CHAPITRE 1

Il ÉTAIT UNE FOIS... MOI

Je m'appelais Isabeau Carpentier-Dumouchel. Carpentier la semaine, Dumouchel une fin de semaine sur deux. C'était la mode d'avoir un paquet de noms et de maisons. Une mode inventée par des adultes qui ne savaient pas ce qu'ils voulaient et qui se croyaient tout permis.

Dans mon école, j'étais la seule à porter ce prénom-là. C'était parfait comme ça. C'était tout ce que j'avais déniché pour être unique en mon genre. Et je vous jure que j'avais essayé de trouver autre chose : les cheveux, le caractère, mon habillement, le copain Noir, la couleur de mes ongles et j'en passe ! J'ai même eu un accent à un moment donné. Rien à faire, je finissais toujours par croiser quelqu'un, quelque part, qui me ressemblait, qui avait les mêmes manies et les mêmes maudits défauts que moi. Vraiment pas évident d'être unique au monde. Alors mon prénom, c'est ce qui me différenciait des autres. Et quand il y en avait un qui m'appelait « Isa », il comprenait vite qu'il devait ajouter un « beau » pour continuer la conversation.

J'ai eu 15 ans. L'âge du chialage chronique selon docteur Dumouchel, mon père. Le réputé cardiologue Jérôme Dumouchel devrais-je dire. Juliette, (Juju pour les intimes) ma psychologue, ou qui essayait de l'être, était un peu plus nuancée que lui. Elle prétendait que j'étais en pleine crise d'adolescence. Que c'était pour cette raison que je contestais tout. J'étais, semble-t-il, en processus de changement autant dans ma tête que dans mon corps. Elle disait que c'était normal, mais que je devais tout de même exprimer mes émotions de façon plus acceptable et respectueuse. Sur le coup, je pensais avoir une maladie rare, mais quand j'ai compris que nous étions à peu près deux mille dans l'école à avoir le même problème, j'ai arrêté de capoter avec ça. En fait, Juju m'avait seulement exposé une de ses nombreuses et savantes théories qu'elle connaissait par cœur. Théories apprises les deux fesses confortablement collées sur un banc d'université. Comme si c'était de cette façon-là qu'on découvrait la vie, le cul bien au chaud à écouter parler un plus fou que soi. Avec des théories comme celles-là, le monde n'a d'autre choix que d'être malade un peu plus chaque jour.

Mais, il paraît que j'étais chanceuse ! C'est ce que Monique, ma mère, tentait par tous les moyens de me faire accroire en tout cas. Chanceuse parce qu'il y avait plein de grandes personnes qui s'occupaient de moi. La belle affaire ! Comme si j'avais demandé quelque chose. Des enseignants pour la classe, une surveillante pour le corridor, un éducateur pour les p'tits bobos du quotidien et une psy pour la conscience de mes parents chéris. C'est tout ce qu'ils avaient trouvé pour se libérer du poids de la culpabilité d'avoir divorcé puisque « j'avais désormais tout le support nécessaire pour passer au travers de cette terrible épreuve ». Épreuve mon œil ! Le divorce, dans leur cas, ça a juste été une excellente nouvelle. Mon père pouvait enfin s'envoyer en l'air avec qui il voulait et ma mère, elle, n'était plus obligée de faire semblant qu'elle ne le savait pas.

Mon père ! À part fréquenter une fille de mon âge (j'exagère à peine !), il n'était rien d'autre qu'un bonhomme qui se promenait fièrement avec un scalpel prêt à disséquer un corps et un cœur pour voir ce que le pauvre avait encore de potable en lui. Il s'intéressait davantage à ce qui était bon dans les morts que chez les vivants. Faut le faire !

« Les morts peuvent nous en apprendre beaucoup sur la vie. »

Celle-là, c'était sa phrase préférée. Ça sonnait bien et ça impressionnait tout le monde. Sauf moi.

— Allô ! Allô ! Ici la Terre. Je m'appelle Isabeau, je suis ta fille, que ça te plaise ou non et, pour ton information, je suis toujours vivante. Un peu trop même selon l'avis de certains enseignants.

C'était ma façon d'essayer de le réveiller, mais j'ai échoué lamentablement. Je l'ai bien averti de me laisser tranquille quand j'allais lever les pattes pour de bon. Pas question de servir la science. Le monde profitait déjà assez de moi de mon vivant : j'avais la ferme intention de mourir en paix et toute seule dans mon coin.

Ah oui ! j'oubliais un de mes heureux bienfaiteurs, le directeur de l'école. Très utile pour les avis de suspensions et la morale à cinq sous. Il ne manquait que le travailleur social et je gagnais le gros lot avec l'extra par-dessus le marché. Mais un travailleur social, c'était trop curieux au goût de mon paternel. De toute façon, il se serait rendu compte assez rapidement que notre petite famille était aussi plate et ennuyante que la très grande majorité des familles du coin. Plus de la moitié des gens que je connaissais avaient des parents séparés et un autre quart en rêvait. Il ne restait donc qu'une infime minorité d'exceptionnels qui croyaient encore à une vie familiale, disons normale.

Tous ces psys-là, ce n'était pas grand-chose à côté des leçons de vie, (toutes aussi intéressantes les unes que les autres !) de ma chère maman adorée qui se pensait plus fine que le bon Dieu lui-même. Elle me confondait, sans aucun doute, avec sa bande de bonnes femmes qui passaient leur temps à s'occuper de leurs semblables au lieu de regarder leur petite existence de misère.

— C'est ça maman, donne, donne, donne... et surtout, attends de recevoir.

Elle pouvait bien dire ce qu'elle voulait, mais je la connaissais depuis assez longtemps pour savoir qu'elle ne se dévouait pas pour rien. Elle ne l'avait jamais fait et ce n'était sûrement pas à son âge qu'elle allait commencer à le faire.

— Le bénévolat, ma petite Isabeau, c'est pour remettre aux autres ce qu'on a en surplus au fond de soi.

J'ai cherché, pendant des années, ce qu'elle avait en surplus au plus profond de sa personne. À part la critique et le besoin de tout contrôler, je ne voyais rien d'autre. C'était sûrement le curé qui lui avait mis ça en tête, toutes ces niaiseries-là. C'était rendu qu'elle passait plus de temps avec lui qu'avec moi. Faut dire qu'il n'était pas si pire, le petit curé. Genre de bonhomme qui avait dû vivre une grosse peine d'amour dans sa jeunesse et qui, au lieu d'aller prendre un coup à la brasserie du coin et de pleurer sur son sort, avait préféré rentrer chez les frères. Une idée comme une autre. J'avais pas mal de difficulté à m'imaginer parmi une congrégation de bonnes sœurs. Je dois admettre cependant que je n'avais pas eu de peine d'amour assez forte, assez brutale, pour me mettre à l'envers et décider de passer le reste de ma vie dans les bras du bon Dieu. De toute façon, c'était toujours moi qui laissais tomber mes supposés amoureux. C'était moins compliqué et, surtout, ça faisait moins mal. Quand je voyais une fille brailler comme un veau parce que son copain venait de se débarrasser d'elle, ça me rendait malade. J'espérais tant ne jamais leur ressembler.

Je me disais que je n'avais pas tant de problèmes que ça. Bon, d'accord, j'avais une façon un peu directe d'exprimer ce que je pensais des autres, mais il ne fallait pas virer fou pour autant. Je n'avais jamais vu personne mourir parce qu'il s'était fait traiter de con. Au contraire, j'étais certaine de leur rendre service. Pensez-y un peu, mourir sans jamais avoir su qui on était vraiment. Ça ne me paraissait pas une belle mort.

« Mieux vaut être un mourant au courant que d'être un vivant ignorant ! »

C'était ma devise. Je m'en servais le plus souvent que je le pouvais avec la profonde certitude qu'il y en avait plusieurs qui étaient tout à fait d'accord avec moi, mais qui n'osaient pas le dire, de peur de se faire traiter de con !

CHAPITRE 2

... ET MARIA

Ma meilleure amie s'appelait Marie. Nos chemins s'étaient croisés depuis seulement deux ans, mais c'était comme si on se connaissait depuis la pouponnière. Un coup de foudre ou presque. Dans une autre vie, on devait être la même personne. Dans le même corps, avec la même âme. Soudées l'une à l'autre à jamais, comme des siamoises.

Cette belle et authentique amitié était née d'une manière un peu bizarre. Tout avait commencé dans le cours d'histoire. Je m'étais finalement décidée à dire ma façon de penser sur ce maudit cours plate. Je me revois encore debout au milieu de la classe en train de déblatérer sur tout et sur rien.

—... il serait temps que ce cours-là nous parle des vraies histoires, c'est-à-dire de notre histoire à chacun de nous au lieu de nous entretenir de gens qu'on ne connaît même pas et d'une époque qui n'a rien à voir avec celle dans laquelle on vit ou plutôt qu'on survit...

Ça sortait tout seul et j'avais moi-même de la difficulté à me suivre. J'ai monologué comme ça au moins cinq longues minutes sans répit, en oubliant de respirer. Un vrai roman-fleuve qui ne menait nulle part. J'ai dû m'arrêter, j'avais la gorge sèche et je commençais à ressentir des étourdissements. J'en avais profité pour m'asseoir tranquillement, sans faire de bruit, pour ne pas déranger. Toute la classe me regardait comme si j'étais devenue un énorme monstre poilu et dangereux. Monsieur Audet, l'enseignant, avait la face tellement longue que je l'ai cru mort pendant un moment. Tout ce qu'on entendait, c'était la grosse Mireille Cayer qui mâchait sa gomme. Moi, je préférais l'appeler Merveille Cayer ! Ça lui faisait un petit bonheur passager, elle en avait grand besoin et, pour moi, ça ne coûtait rien.

La classe est demeurée silencieuse comme dans une bibliothèque jusqu'à ce que Marie se mette à applaudir. Au début, je me demandais si elle applaudissait parce que je m'étais enfin décidée à me la fermer ou bien parce qu'elle était d'accord avec moi. Mais quand j'ai vu ses yeux et son petit sourire en coin, j'ai su qu'elle prenait pour moi. Des yeux d'ange et un sourire plein de douceur. Nos regards sont demeurés accrochés l'une à l'autre un moment. Pour faire connaissance, pour créer le pont entre nous.

On s'est vite retrouvées chez Néron, le directeur d'unité. Je n'en revenais pas. C'était seulement la deuxième fois qu'elle voyait un directeur d'aussi près. Moi, il me connaissait plus que mon propre père. Il faut dire que Marie venait tout droit d'un collège privé. Dans ces collèges tout beaux et tout propres, la journée où tu rencontres le directeur, c'est pour te faire renvoyer. C'est effectivement ce qui lui était arrivé le matin où elle s'était présentée avec les cheveux rouges et une paire de jeans au lieu de son beau petit costume bleu marine. Elle était tannée de ressembler à tout le monde. Dans mon école, on peut ressembler davantage à un épouvantail qu'à un étudiant, tant qu'on n'écœure personne, c'est correct.

Mes parents avaient tant rêvé de me voir dans une école privée. Pour l'apparence et les voisins. Mes notes, elles, n'ont jamais voulu. Tant mieux ! Le bleu marine m'a toujours donné mal au cœur de toute façon.

On avait passé l'heure du dîner à jaser. J'en avais appris une bonne. Une vraiment bonne !

— Si j'ai applaudi tantôt, ce n'est pas que j'aie trouvé ton discours brillant. C'était même aussi plate et long que le cours lui-même !

J'étais frustrée en maudit sur le coup.

— C'est seulement que je te sentais toute seule avec ta rage. Alors, j'ai décidé de t'apporter un peu de réconfort.

Le soir, au fond de ma chambre, je me suis rendu compte que c'était la première fois que quelqu'un était sensible à ma rage. Au point d'en prendre ma part. Sans reproche. Sans jugement. Comme ça, gratuitement.

Tous les genres d'intervenants qui prétendaient vouloir mon bien me parlaient d'attitudes, de tolérance et d'un paquet d'affaires qui ne voulaient rien dire pour moi. Marie ne me connaissait même pas et elle a su tout de suite ce que j'avais le plus en moi : de la rage. Cette maudite rage qui s'était installée en moi à petites doses, sournoisement depuis… je ne sais plus, ça fait trop longtemps. Je suis littéralement tombée en amour avec cette fille-là. Pas en amour comme avec un gars, encore moins en amour comme sexe, en amour pour vrai ! Amour, comme amitié profonde et sincère. Amour comme à la vie, à la mort.

À partir de ce jour, on ne s'est plus quittées. Si on ne pouvait pas se voir, on se parlait au téléphone ou on s'envoyait des dizaines de courriels, juste pour être certaines de ne pas s'oublier un instant. Que ce soit en classe, dans le corridor, en soirée ou durant les fins de semaine, on avait toujours quelque chose à se raconter. Au grand désespoir de nos enseignants d'ailleurs. Une confidence par-ci, une idée de sortie ou d'activité par-là, et tellement de fous rires pour des niaiseries ou pour rien du tout.

Au fil des jours, des mois, on a partagé notre passion pour la poésie et pas à peu près. On s'en est écrit sûrement des centaines. Sur toutes sortes de sujets : beaucoup sur l'amour et l'amitié évidemment, mais aussi sur les guerres, nos rêves, la mort, nous-mêmes, le soleil et les nuages, sur… vraiment tout et n'importe quoi. L'inspiration venait et on s'empressait de mettre le tout sur papier. Je préférais, et de loin, nos poèmes qu'on s'amusait à écrire ensemble. Ceux qu'on appelait à quatre mains et deux cœurs. Quelques vers, et on suivait l'impulsion de l'autre sans problème. Je me rappelle particulièrement d'un cours de français avec monsieur Babin. Pas méchant le monsieur Babin, mais d'un ennui mortel ! Alors on en avait profité pour laisser notre poésie s'enflammer. Ça ressemblait à peu près à ça :

> *Ô toi, grand Babin à l'avant*
> *Il serait plus que temps*
> *Que tu te taises un instant*
> *Car tu es vraiment ennuyant.*
> *Depuis le début de l'année*
> *Tu ne cesses de nous casser les pieds*
> *Avec ta grammaire et tes dictées.*

Tu as l'air aussi perdu
Qu'un chevreuil au milieu de la rue
Tu devrais arrêter d'enseigner
Car tu es vraiment démodé.

Il y avait d'autres vers, mais je préfère les oublier. Ce n'étaient que des rimettes, rien à voir avec la grande poésie, mais on s'amusait ferme. Un peu trop sans doute, car sans qu'on s'en aperçoive, le grand Babin s'est planté devant nous en tendant la main afin qu'on lui remette notre feuille. J'ai bien essayé de lui faire comprendre que ce n'était que de l'humour et que c'était tout à fait approprié dans le cadre d'un cours de français. Il nous a quand même envoyées réfléchir chez le directeur. On a tellement eu de temps pour réfléchir que le directeur nous a inspiré un autre poème !

Je l'appelais rarement Marie. C'était souvent Maria à cause de son teint basané naturel. Ça lui donnait un air espagnol. Quand vous dites Maria en roulant légèrement le « r », ça sonne un peu exotique. Jean-Philippe, un de mes ex, me disait que Maria faisait plus italien qu'espagnol. Peut-être, mais je m'en foutais. La géographie, c'était loin d'être dans mes priorités.

En plus de Maria, je lui avais trouvé une série de noms. Ça dépendait de la situation. Marie-Douce. Marie-Folie. Marie-Console. J'ai dû lui en dénicher des dizaines. Mais mon préféré, c'était Marie-Bonheur. Ça lui allait tellement bien. On aurait dit qu'elle était née dedans. Moi, je n'étais pas tombée dans la même marmite. Ce n'était pas le bonheur qui me collait après, mais plutôt la bêtise humaine. Je ne parle pas seulement de mes parents ; ma vie, en général, était toute croche. Pas moyen d'avoir une vie paisible. C'était une sorte d'ouragan permanent. Ma belle Maria me disait toujours de relaxer et de voir le bon côté des choses. Facile à dire ! J'aurais dû l'envoyer une semaine chez moi avec mon bulletin. Elle aurait vu tout de suite que ma mère n'était pas trop reposante et que son bon côté des choses à elle n'était pas nécessairement le même que le sien.

Maria, une belle fille, je vous assure. De longs cheveux noirs, des yeux noisette et des seins bien plus beaux que les miens et que la majorité des filles de notre âge. Alors que moi… c'était autre chose. Pas un monstre, mais bon. Cheveux courts, habillée en noir la plupart du temps. Rien de très intéressant à dire sur moi. Il faudrait demander aux autres. Je me regardais le moins possible dans le miroir, au sens propre comme au figuré.

Belle en dedans comme en dehors, cette chère Maria. Fine, douce, toujours là quand j'avais besoin d'elle. C'était vraiment la personne que j'aimais le plus au monde.

Je ne sais pas ce que je serais devenue sans elle. Dès le premier jour, elle m'a acceptée comme j'étais. Rien ne la dérangeait. Elle a dû me consoler dix mille fois pour toutes sortes de niaiseries. Genre de fille qui se donne aux autres sans rien demander en retour. Pas comme ma mère. Elle, c'était pour vrai. C'est rare en maudit de nos jours. Une sorte de Mère Teresa en moins plissée. J'aurais dû écrire au Pape pour qu'elle soit canonisée. Il aurait accepté sur-le-champ.

En plus, elle vivait dans une famille normale. Un père, une mère et un petit frère fatigant. Tout ce beau monde dans la même maison. Sans bataille, sans guerre et sans larme. Zacharie, le tannant à deux pattes, avait huit ans et il bougeait sans arrêt.

— Me semble qu'une pilule anti-stress serait tout à fait appropriée pour Zach.

— Ben non, c'est juste un gars, et les gars, à cet âge-là, ça grouille tout le temps.

— Tu pourrais au moins l'attacher une fois de temps à autre. Ça ferait du bien à tout le monde.

Pour Maria, comme pour ses parents d'ailleurs, Zacharie était un gamin comme les autres. Pour moi, fille unique de bourgeois, un petit bonhomme comme Zach, c'était juste un paquet de troubles, c'était étourdissant sans bon sens.

Son père Xavier et sa mère Anne, c'étaient mes idoles, mes héros. Après Maria, bien entendu. Presque vingt ans de vie commune et ils s'aimaient encore. Ils ne faisaient pas seulement vivre ensemble et élever leurs enfants, ils s'aimaient. Ça se voyait tout de suite. Dès qu'ils se regardaient, on sentait qu'il y avait quelque chose de spécial entre eux. J'étais loin d'être une experte dans le domaine des amours, très loin même, mais Xavier et Anne, c'était tellement beau. Ils s'embrassaient encore.

Ça semblait tellement facile de vivre dans cette famille-là que je me surprenais parfois à prier pour qu'ils m'adoptent. Je serais devenue sage et polie. Presque muette et invisible s'il avait fallu.

Maria, c'était vraiment la personne la plus géniale que je connaissais. Tout le monde l'aimait. Les profs, les gars, ses parents, alouette ! Le plus fou et le plus beau dans tout ça, c'était que moi, Isabeau Carpentier-Dumouchel, j'étais sa meilleure amie. Elle me l'avait dit.

Mais tout ça, c'était dans une autre vie…

CHAPITRE 3

LE CAUCHEMAR

Faire un cauchemar, ce n'est jamais drôle. Pire encore quand on le fait éveillé et qu'il ne s'arrête pas. Je me suis battue contre lui des mois et des mois, pas toujours de la bonne façon, et encore aujourd'hui, j'ai l'impression qu'il est tout près, qu'il rôde.

C'était à la fin juin. Pourtant, la journée n'avait pas si mal débuté. Discussion pour le moins animée avec Sainte-Monique. Rien de nouveau sous le soleil jusque-là.

— Tu ne peux pas aller passer la fin de semaine chez Marie comme ça, c'est à peine si je connais ses parents.

— Son père est un maniaque sexuel et sa mère sort directement d'un asile pour malades mentaux. Rassurée maintenant ?

Quand elle me lançait ses arguments insignifiants et stupides, je ne pouvais pas m'empêcher d'en rajouter. Je provoquais, je le sais, mais c'était plus fort que moi.

— Je vais les appeler, après on verra.

Et elle l'avait fait. Comme si j'avais trois ans ! J'ai eu tellement honte.

— Bon, c'est d'accord. J'ai parlé à sa mère et elle me semble très gentille. Elle m'a promis d'assurer une étroite surveillance. Mais je te préviens, Isabeau, pas de drogue, ni cigarette, ni alcool. Et n'oublie pas…

— Je la connais la suite m'man. Pas de coude sur la table, je dois dire merci sans arrêt, pas de bruit en mangeant, j'aide à débarrasser la table, pis je me brosse les dents avant de me coucher. Et ça, c'est sans parler des mille et une niaiseries que tu me répètes sans cesse depuis que je suis toute petite. T'as l'air de penser que j'arrive tout droit d'une caverne et que je ne suis jamais sortie de ma vie.

J'ai claqué la porte et je me suis enfermée dans ma chambre. J'en avais assez entendu. Ensuite, j'ai préparé mon sac et je suis partie sans rien dire. Enfin les vacances ! Enfin la liberté ! Enfin débarrassée de ma mère ! C'étaient seulement deux jours, mais deux jours à moi et à Maria. Juste à nous deux.

Première nuit. On s'apprêtait à la passer à la belle étoile. Emmitouflées jusqu'aux oreilles, on regardait le feu qui dansait dans une sorte de gros baril au fond de la cour. Son crépitement rendait l'ambiance encore plus magique. Les champs de maïs tout autour donnaient l'impression que plus rien n'existait à part nous. L'air de la campagne était si bon, si chaud. Le temps s'était arrêté. Pas de devoirs. Pas de règlements. Pas de parents. La vraie vie. La liberté des vacances.

On parlait à voix basse. Comme si on avait pu déranger quelqu'un ! Il y avait juste les criquets et les vaches du voisin que nous risquions de réveiller avec nos fous rires.

La maudite Maria ! Incapable de l'arrêter de se moquer de moi. Elle était convaincue qu'avec ses petites manières, un gai sommeillait en Jean-Philippe. Elle voyait que l'idée ne faisait pas mon affaire.

— Tu te rends compte, Isabeau ? Ton ancien chum préfère les gars maintenant. Veux-tu bien me dire ce que tu lui as fait pour qu'il vire de bord ?

Elle se trouvait super drôle. Elle riait tellement que j'ai pouffé de rire moi aussi. C'était toujours comme ça avec elle. J'étais incapable de lui en vouloir.

On s'est raconté nos fantasmes aussi. Elle, c'était François, le travailleur social de l'école. Trop vieux pour moi. Je les aimais plus jeunes et plus fous. Étienne, par exemple, le plus beau hippie de la 5ᵉ secondaire. Mais tout ça, ce n'étaient que des fantasmes. On parlait pas mal plus qu'on agissait.

Mes histoires d'amour étaient tellement compliquées que j'étais à la veille de m'exiler sur une île déserte. Avec Maria bien sûr. Quand je commençais à parler de tout ça avec Marie-Psy, elle faisait de son mieux pour me faire comprendre ce que je n'arrivais toujours pas à comprendre.

— Isabeau, arrête de penser que l'amour et les gars, ça va ensemble. L'amour, c'est le rêve, alors que les gars c'est…

— … les problèmes, les maux de tête et les larmes !

— Pas nécessairement, Isabeau. L'amour, c'est unique alors que les gars y en a plein, des fins et des crétins.

— C'est bizarre, mais j'ai la nette impression de n'être tombée que sur des crétins. Sauf Jean-Philippe, mais on aurait dit qu'il était trop fin pour moi, je n'étais pas capable de vivre avec ça.

— C'est toi tout crachée ça, « occupez-vous de moi, mais pas trop. Aimez-moi, mais sans m'aimer. » Tu es bien trop compliquée pour les gars.

— Je le sais, il y a juste toi qui me comprends. Y a pas un gars qui t'arrive à la cheville. Si tu en étais un, je te demanderais en mariage.

— Je dirais non !

— Pourquoi ?

— Pour ne pas avoir ta mère comme belle-mère !

On s'est regardées. On a pouffé de rire, encore.

Un peu plus tard, elle m'a fait découvrir la grande et la petite ourse. Cette espèce de gros chaudron dans le ciel. Comme si le petit Jésus en avait besoin pour faire bouillir ses nouilles.

— Ferme tes yeux, Isabeau.

— T'as une surprise pour moi ?

— Une belle à part ça. De magnifiques auro-res boréales multicolores qui dansent. Juste pour toi et moi.

— Excuse mon ignorance, mais j'ai toujours pensé que c'était dans le ciel que les aurores boréales se promenaient. Pas dans notre tête !

— Laisse-toi aller. Ferme les yeux et regarde. Tu vas voir un spectacle hors du com-mun. C'est habituellement plus beau dans nos rêves que dans la réalité.

Ça, je le savais depuis longtemps. Ce que j'ignorais cependant, c'est que ça pouvait éga-lement s'appliquer aux aurores boréales.

À force d'écouter la voix tout en douceur de Maria, je m'étais abandonnée dans ses rêves et les aurores boréales m'étaient apparues. J'en voyais des bleues. Celles de Maria étaient mauves, jaunes, rouges et dansaient en plus. C'était toujours comme ça. Mon imaginaire s'arrêtait à peu de choses tandis que le sien débordait tout le temps. Surtout dans ce domaine-là. C'est normal, le ciel, les étoiles, ça lui ressemblait tellement. C'est grandiose et ça brille sans cesse.

Au milieu de la nuit, je lui ai demandé de me jouer un peu de violon. Elle jouait aussi bien que les grands musiciens. Elle était tellement sensuelle dans ces moments-là. Ce n'étaient pas seulement ses doigts et ses mains qui glissaient sur les cordes, c'était son corps tout entier qui suivait le rythme. Le mouvement était si beau, si gracieux. Je me laissais toujours bercer à ses côtés. Elle aurait pu en jouer durant des jours et des jours sans arrêt, que je serais restée là, à la regarder, à l'écouter. J'en oubliais qu'elle avait un instrument entre les mains tellement elle était belle à voir. C'est elle qui m'avait fait découvrir les grands compositeurs et je reconnaissais même certaines de leurs compositions.

Puis la musique a cessé. Elle a délicatement rangé le violon dans son étui. Comme une mère qui dépose son enfant dans son berceau pour la nuit. Avec la même tendresse, le même amour. Elle a ensuite insisté pour que je lise le dernier de ses poèmes. J'avais de la difficulté à bien voir. J'étais quasiment assise dans le feu pour être capable de le déchiffrer. Puis les mots me sont apparus :

> *Partir au loin et ne jamais revenir*
> *Partir et ne plus rien sentir*
> *M'envoler comme un oiseau*
> *Vers des horizons nouveaux*
> *Et pouvoir m'endormir*
> *Près de toi... une dernière fois, Isabeau.*

Je me souviens d'avoir ressenti une grande tristesse, mais pas assez pour comprendre ce qu'elle avait vraiment écrit. Je lui ai dit que c'était beau et lui ai redonné son bout de papier.

Je ne voulais pas être triste. Je ne voulais pas saisir le message qu'il y avait dans ces mots. J'étais trop heureuse d'être là. Le bonheur, le vrai, est si rare que je n'arrive pas à m'en séparer lorsqu'il est à mes côtés. Je le tiens à deux mains et je le garde.

Mais c'est à ce moment précis que ma vie a basculé. Cruellement, douloureusement, sans avertissement. La foudre frappe moins fort. Elle fait moins de ravages. Elle tombe, fait son bruit d'enfer, nous fait sursauter et on n'en parle plus jusqu'à la prochaine fois. Mais là, ce n'était pas pareil. L'orage, qui grondait déjà en moi depuis tellement d'années, venait de se transformer en véritable cyclone. Une tempête que je n'arrivais pas à contrôler m'envahissait, et sans que je sache où et quand elle s'arrêterait.

J'ai senti un grand vide autour de moi. Comme si le sol disparaissait d'un seul coup et que le ciel devenait plus infini que d'habitude. J'ai eu le vertige. C'est en me retournant vers Maria que j'ai su que ce vide existait vraiment. Que le précipice était à quelques centimètres de moi et que, très bientôt, j'allais y tomber tout au fond sans que personne ne puisse m'en empêcher, ni me secourir malgré mes cris et ma volonté de ne pas m'y retrouver. Ma fin de semaine de rêve prenait le bord et j'ai vite compris que mon cauchemar était bel et bien là, devant moi.

Ma belle Maria pleurait. Tout doucement. Sans doute pour ne pas m'effrayer. Trop tard, je tremblais déjà. Comme une feuille morte emportée par le vent et la pluie, un soir d'automne lugubre.

— Isabeau, j'ai peur.

Je ne souhaitais pas qu'elle continue. J'aurais tant voulu qu'on s'endorme, comme ça, d'un coup. J'aurais peut-être dû lui dire que lorsque nous sommes ensemble, rien ne peut nous arriver, que la vie est trop courte pour avoir peur. Mais elle avait peur. Je le savais. Je le ressentais. Je ne sais même pas quoi faire avec ma propre peur, alors imaginez celle des autres.

— J'ai peur de la mort, Isabeau.

J'avais beau chercher, les mots me manquaient. J'aurais voulu avoir la force de lui crier d'arrêter. Que ce n'était qu'un mauvais rêve et que demain tout serait arrangé. Elle a continué.

— J'ai passé tous les tests, Isabeau. Il n'y a rien à faire, c'est trop tard. Mon système s'enfonce petit à petit. Je vais mourir, Isabeau. D'ici six mois, peut-être un peu plus, je vais mourir...

Alors j'ai attendu. Un signe. Un mot. Un sourire. Je voulais qu'elle crie, qu'elle pleure, qu'elle rit. N'importe quoi, mais j'étais prête à tout. Elle aurait pu me frapper, me cracher dessus. Je me serais laissée faire. Je lui en aurais même redemandé s'il avait fallu. Je me suis dit qu'elle éclaterait de rire et qu'elle me dirait :

— J' t'ai bien eue, hein ! C'est pas vrai. C'est juste une blague.

On aurait ri comme des folles, comme d'habitude. Je l'aurais traitée de tous les noms en essayant de lui faire comprendre que je n'avais pas eu peur et que ses maudites histoires de fous, elle pouvait se les mettre là où je pense.

Elle n'a rien fait de tout ça. Moi non plus. Pas un geste, pas un mot. Rien. Ses yeux étaient tristes comme je ne les avais jamais encore vus. Tristes, mais sûrs d'eux en même temps. Pas un seul clignement qui aurait pu faire baisser mon angoisse.

J'imagine qu'elle attendait que je fasse ou que je dise quelque chose. Habituellement, les mots, pour moi, ce n'était pas un problème. Ils venaient généralement tout seuls à propos de tout et de rien. Sans invitation ni censure. Mais là, l'ennui, c'était le silence. Pour la première fois de ma vie, le silence m'envahissait d'un bout à l'autre de mon corps. Il me paralysait, mais surtout il me faisait mal comme je n'avais jamais eu mal. Moi qui ai toujours cru que le silence signifiait l'absence de mots, je découvrais que c'est beaucoup plus fort que cela. C'est quelque chose autour de toi que t'essaies d'attraper, mais qui s'échappe tout le temps. Ça finit par te faire capoter. Finalement, tu t'écrases et tu attends. Tu ne sais pas après quoi tu attends, mais tu attends. Et plus c'est long, plus tu souffres. Ça ronge en dedans.

Tout ce que j'ai trouvé à faire, c'est de sacrer mon camp. Comme une voleuse prise la main dans le sac. Une vraie lâche. À l'instant même où j'aurais pu me sentir utile une fois dans ma vie, voilà que je me transformais en courant d'air.

Je voulais marcher jusqu'à ce que mon corps me dise d'arrêter. Qu'il me supplie à genoux qu'il n'en pouvait plus. Qu'il craque sous mon poids et que je disparaisse aussitôt. Ç'aurait été si simple. Si simple de mourir. Mourir dans ce silence si fort et douloureux à la fois. Partir dans l'au-delà que ma mère trouve si beau et réconfortant, même si elle n'y a jamais mis les pieds.

J'aurais dû faire comme dans les films. Tout y semble si facile. Je n'avais qu'à prendre Maria dans mes bras, la serrer très fort contre moi et pleurer avec elle. Comme les meilleures amies au monde. Comme des sœurs siamoises qui ne veulent rien savoir d'être séparées. Lui dire aussi à quel point je l'aime et que rien n'allait nous éloigner. Ni la peine ni la souffrance et encore moins la mort.

Lui caresser le visage en essuyant ses larmes qui coulaient lentement le long de ses joues et faire en sorte qu'elle ne ressente plus la détresse qui s'emparait de moi. Qu'elle ne voie que ma force et ma profonde confiance en la vie.

Mais j'ai préféré m'enfuir. M'enfuir pour ne pas voir mourir Maria. M'enfuir pour survivre.

Et j'ai marché sans savoir où aller. Probablement que j'ai tourné en rond pendant des heures et des heures sans m'en rendre compte. Tout ce que je sais, c'est qu'il faisait noir. Il n'y avait personne dans les rues. Pas de chien, pas de chat, pas d'humain, seulement une grande solitude qui cherchait une bouée pour s'accrocher. À peine une légère brise me rappelait que j'étais bien vivante.

Puis l'envie de crier est montée en moi. Oui, crier. Hurler à mort. Hurler la mort. Sortir tout ce que j'avais en dedans, d'un seul coup. Sans retenue. Comme ça vient. Sortir la peine, la tristesse, la rage, la colère, la peur, l'angoisse, la révolte. Sortir la vie. Sortir le désespoir. Sortir moi-même de mon corps et aller rejoindre les étoiles du petit Jésus. Dans son chaudron, avec ses nouilles.

Mais... je n'y suis pas arrivée. Comme je n'étais pas parvenue à grand-chose dans ma vie jusque-là.

« Isabeau a du caractère. Isabeau a une tête de cochon. Elle ne sait pas encore ce qu'elle veut, mais elle sait ce qu'elle ne veut pas. Une vraie lionne. Une vraie tigresse. Elle ira loin dans la vie. »

Blablabla ! Juste des maudites niaiseries. Je les entendais depuis des années. « Elle ira loin dans la vie... » Mon œil ! Le plus loin que je pouvais aller, c'était au bout du quai à me demander si je devais sauter dans le fleuve ou si... Ou si quoi ?

Je ne savais pas quoi faire. Partir en courant et me jeter dans les bras de ma belle Maria, ça me paraissait le plus logique, le plus sensé, mais le plus difficile également. C'était au-dessus de mes forces. Mission impossible et inhumaine pour une fille comme moi.

J'aurais pu retourner chez moi et entendre ma mère avec ses cent mille questions et ses commentaires du genre :

— Mais voyons, Isabeau, que se passe-t-il donc avec toi ? Tu m'as tellement harcelée pour passer la fin de semaine chez Marie et voilà que tu changes d'idée. C'est bien toi, ça.

Non merci ! S'il y avait une personne que je n'avais pas envie de voir et encore moins d'entendre à ce moment-là, c'était bien elle. Et lui dire que Maria allait mourir ? J'étais incapable de me le dire à moi-même, alors encore moins à Sainte-Monique-Priez-Pour-Nous. Elle m'aurait sûrement parlé du destin et d'un certain Dieu qui appelle à ses côtés ceux et celles qui en sont là dans leur cheminement. Elle aurait ajouté que rien n'est triste dans la mort. J'aurais entendu des phrases qu'elle m'a citées, je ne sais combien de fois, pour m'expliquer la vie, sa vie, de la même façon qu'elle me lisait des histoires quand j'étais toute petite. C'est-à-dire sans émotion et surtout sans intérêt. Comme si tout était normal. Comme si le fait de se faire manger par un loup dans le fond d'un bois n'était en fait qu'un événement banal et courant de la vie. J'ai grandi avec la certitude profonde que le petit chaperon rouge ne pouvait rien faire pour éviter de se faire manger et que le destin était plus fort que tout.

Eh bien, je l'emmerdais le destin. Comme j'emmerdais le loup et le petit chaperon rouge. Moi, je devais être sur cette « malade mentale » de Terre pour vivre. Pas pour survivre ! Ni pour souffrir !

Je me suis donc retrouvée toute seule en pleine nuit sur le bord d'un fleuve qui était aussi mal en point que mon cœur. Plein de débris laissés par un peu tout le monde. Des canettes de bière, des condoms dégueulasses et même des gens dont personne ne cherchait la trace. Des hommes et des femmes, jeunes et vieux, abandonnés, qui avaient crié à l'aide sans se faire entendre et qui s'étaient jetés au fond de l'eau pour gueuler leur désespoir. Sans doute le meilleur moyen de se faire oublier et de sacrer la paix à tous ceux et celles qui ne comprenaient rien à leur souffrance. Le fleuve était sale et personne n'en prenait soin. Comme s'il était acquis jusqu'à la nuit des temps et qu'il serait toujours là, peu importe les événements. Jour après jour, le fleuve continue sa route malgré tous ceux qui crachent et pissent dedans. Il encaisse sans broncher. Eh bien, je ne voulais pas lui ressembler. J'ai décidé cette nuit-là de prouver une fois de plus que j'avais du front tout le tour de la tête. Moi, Isabeau, 15 ans, je n'étais pas obligée de tout endurer en faisant semblant que rien ne me dérangeait comme je l'avais toujours fait depuis que j'étais née. J'avais donné. Cette fois-ci, je passais mon tour.

« Je vais mourir », avait dit Maria. Ces mots sonnaient faux, mais ils étaient vrais. Aussi réels qu'insensés. Ces mots me donnaient le goût de vomir. Ils me dégoûtaient autant que la mort elle-même. Ce « je vais mourir » me rendait folle, car il venait de Maria. MA Maria. Ma Marie-Amour. Ma Marie-À-Moi. Ce « je vais mourir » m'appartenait aussi. Il était en moi. Ces mots annonçaient ma mort, ma fin. Ils m'enlevaient ce que j'avais de plus précieux dans ma vie. Ils emportaient avec eux Maria. Ces mots étaient assassins, me tuaient à petit feu. Cruellement, sans demander pardon.

Aider, soutenir, encourager, tous ces beaux mots synonymes d'espoir auraient dû être ceux qui allaient m'indiquer la voie à suivre et me guider dans ce que j'avais à faire le plus naturellement du monde. Surtout pour ma meilleure amie, surtout quand elle se bat, quand elle souffre. Mais pour moi, Isabeau Carpentier-Dumouchel, ces mots étaient impossibles à vivre. Ils m'empêchaient de respirer librement. J'ai cru, à ce moment-là, être de trop, inutile, malhabile et qu'il valait mieux que je m'efface. Pour un jour, un mois, un an, pour la vie ? Je l'ignorais. J'avais besoin d'air, c'est tout. Prendre du recul, comme on dit. C'est ce que madame Fiset, mon enseignante d'anglais, avait dit qu'elle devait faire quand son fils s'était suicidé, l'an dernier. Je me demandais ce que ça pouvait bien signifier « prendre du recul » : aujourd'hui je le sais. Ça veut juste dire prendre l'air et aller voir ailleurs si on peut être utile à quelque chose. Madame Fiset était revenue au bout de deux jours en disant qu'elle avait trop besoin de nous pour passer au travers.

Alors tout ce qui me restait à faire, c'était de partir à l'autre bout du monde. Toute seule. Je préférais mourir que de voir mourir. Là-bas, personne ne pourrait me blesser ni me contrôler. Je voulais mourir libre. L'envie de goûter à cette liberté devenait l'unique réponse à mon immense chagrin, à mon interminable désespoir.

Je sais, je n'aurais pas dû. Mais je me sentais si seule…

CHAPITRE 4

BAIE-SAINT-PAUL

Une fois rendue sur l'autoroute, à peine deux minutes ont suffi pour qu'un bon samaritain s'arrête.

— Tu t'en vas où comme ça, la petite ?

Je n'étais pas encore montée que j'avais déjà le goût de lui montrer que la petite était pas mal plus grande qu'il ne le pensait ! Alors, j'ai pris mon air bête des grandes occasions et je lui ai répondu le plus sèchement possible.

— Je l'sais pas trop. Tout ce que je sais, c'est que je m'en vais par là.

— Okay, embarque.

Une demi-seconde plus tard, il m'a demandé mon nom.

— Je m'appelle Mariette. Je reste sur la rue Brouillette à Saint-Anicet.

Fin des questions et de la conversation. Il a compris que je n'étais pas d'humeur à socialiser. Tout ce que je voulais, c'était qu'il roule le plus vite et le plus loin possible. Sans parler et en regardant en avant. À mon grand soulagement, il l'a fait.

Deux heures de route plus tard et on voyait le pont de Québec.

— Je quitte l'autoroute. J'ai des clients pas loin d'ici.

— C'est correct. Je débarque.

Je ne l'ai pas remercié. Pas même un sourire. Pauvre gars, il voulait probablement un peu de compagnie. Tout ce qu'il a eu, c'est un bloc de glace.

Je crois bien avoir marché quelques kilomètres sur l'accotement. J'avais besoin d'air et de respirer profondément. Les voitures passaient tout près, mais je ne les voyais pas. J'avais la tête vide. J'étais ailleurs.

Une vieille camionnette s'est finalement arrêtée. J'aurais pu avoir peur. Il y a tellement de crétins qui se promènent en toute liberté. Mais je me sentais d'attaque pour me défendre contre n'importe qui. Le gars est sorti de son camion. On aurait dit qu'il venait de se lever. Il avait une barbe grise et mal taillée avec les cheveux sur le même modèle. Rien de vraiment menaçant à première vue. Dans notre cours de musique, le prof nous avait présenté un documentaire sur le spectacle de Woodstock en 1969. J'ai pensé qu'il arrivait tout droit de là. Un hippie des années soixante, soixante-dix. Un vrai,

en chair et en os. Woodstock en personne !
J'imagine que c'est la fatigue, mais le fou rire
m'a pris.

— Excuse-moi, mais ça doit faire vingt-quatre heures que je n'ai pas dormi.

— Pas grave, ma belle. Je m'en vais à Baie-
Saint-Paul. Embarques-tu ?

— Baie-Saint-Paul ? Pourquoi pas !

Je ne savais pas où ça se trouvait sur la carte,
mais le nom sonnait joli. Il y avait une sorte de
mélodie autour. J'aurais bien pu me ramasser
dans le fond des bois en Sibérie, mais le bonhomme m'inspirait confiance.

— Tu peux te coucher et dormir un peu
en arrière si tu veux. Je pense que t'en as besoin.

Effectivement, j'en avais grand besoin.

Sa camionnette ressemblait à une chambre
à débarras. Pire que la mienne. Monique aurait
été scandalisée de voir ce bordel sur quatre
roues ! Un vieux matelas, des draps pêle-mêle,
une poche d'armée avec sa garde-robe, (si on
peut appeler ça une garde-robe !) et des trucs
de camping. Là, je ne parle pas de tout le bata-
clan dont je n'arrivais pas à savoir de quoi il
était constitué. Quoi qu'il en soit, j'étais bien
dans cet univers quasi psychédélique. L'air
désinvolte du bonhomme me rassurait et je me
sentais assez en sécurité pour tenter de fermer
l'œil et de me reposer quelques minutes. J'ai
arrêté de me battre contre les démons et je me

suis laissée aller. J'ai dormi comme un bébé. Tout juste si je n'avais pas le pouce dans la bouche et la bave qui me coulait sur la joue.

Je me suis réveillée cinq heures plus tard. Ça faisait déjà un bout de temps que nous étions arrivés à destination. Woodstock m'avait permis de me reposer. Super correct le bonhomme. Pas fatigant pour cinq cennes.

C'est beau Baie-Saint-Paul. Au creux de ses montagnes, je m'y sentais à l'abri, en sécurité et le cœur en apparence en paix. Je ne connaissais personne et c'est en plein ce que je recherchais.

Ces quelques heures de repos complet auraient dû, en principe, me faire le plus grand bien. Un sommeil aussi profond aurait dû me remettre sur pied, me redonner le goût de vivre et de m'amuser. Rien de tout ça. Trop simple pour moi !

J'ai éclaté. De rage ou de peine, peu importe. Tout ce que je peux dire, c'est que ça pissait de partout. Les larmes, on s'entend ! J'ai ramassé un vieux chandail de Woodstock pour me moucher. Au même moment, un mal de cœur épouvantable m'a envahie. À cause de l'odeur. Woodstock doit fumer deux paquets de Gauloises par jour, et je crois que le chandail en question avait eu à subir cette terrible épreuve plus d'une fois ! J'avais déjà de la difficulté à respirer parce que je braillais comme une Madeleine, voilà en plus que la puanteur s'en mêlait de façon inquiétante. La tête me tournait, je ne voyais plus rien. L'enfer !

Woodstock a ouvert la portière arrière.

— Qu'est-ce qui se passe ma belle ? As-tu fait un cauchemar ?

En le regardant comme ça, je le trouvais presque beau. Puis il a ajouté :

— Ça te dérangerait d'utiliser un mouchoir à la place de mon t-shirt pour te moucher ? C'est juste que je n'en ai pas beaucoup et j'aimerais ça les garder propres le plus longtemps possible.

J'ai souri, un peu gênée. Les larmes, c'est fatigant. Je me sentais encore épuisée.

— Viens prendre l'air, ça va te faire du bien.

J'ai traîné ma carcasse dehors. Le mal de cœur me laissait tranquille petit à petit.

— Excuse-moi, Woodstock, pour ton t-shirt. Je ne voulais pas...

— Comment tu m'as appelé ?

— Wood... En fait je ne connais pas ton nom, alors je t'en ai donné un. J'ai pensé à Woodstock à cause de...

Je pédalais en maudit. J'avais peur de l'insulter. Peur surtout qu'il me trouve pas mal baveuse et qu'il décide de me ramener sur l'autoroute.

— C'est un beau nom Woodstock. J'aime ça.

— Moi, c'est Isabeau.

Puis on a fait le tour du camping. C'était paradisiaque. C'était tout en haut d'une montagne avec Baie-Saint-Paul et le fleuve à nos pieds.

Le fleuve, encore luï. Il me semblait que je l'avais fui la nuit précédente. En moins de deux, il m'avait rattrapée. À moins que ce ne soit moi qui courais après. Je le trouvais beau tout à coup, moins sale, moins pollué. Tout n'était peut-être qu'illusion. Je me disais qu'on avait sans doute le même destin, lui et moi. Une fois rendu au creux des montagnes, on oubliait nos souffrances et la vie nous paraissait moins pénible. La mort nous semblait plus loin, presque inaccessible.

La soirée s'est déroulée tout doucement. J'ai connu plein de gens. Si on peut appeler cela connaître. Juste leur prénom, rien d'autre. On aurait dit que tout le monde s'était passé le mot pour ne pas achaler qui que ce soit. Un peu de musique et des chansons sur le bord d'un feu, c'était très beau. Mais en même temps, un peu triste. Je ne pouvais m'empêcher de penser à Maria que j'avais lâchement abandonnée, seule avec sa peine et sa souffrance. J'ai même eu une pensée pour ma mère qui devait être dans tous ses états et implorer tous les saints qu'elle connaissait personnellement (et Dieu sait qu'elle en connaît !) afin qu'il ne m'arrive rien de fâcheux tout en espérant mon retour, saine et sauve, dans la prochaine minute. La culpabilité et les remords me rongeaient par en dedans, mais je ne trouvais pas la force de repartir tout de suite. Je me demande si c'est l'ange ou le démon, mais un des deux me retenait ici.

Le feu. La paix. Le calme. Le fleuve. Les étoiles. La musique. Tout ce que je fuyais il y a quelques heures était encore là. C'est bizarre la vie par moments.

Woodstock m'a prêté son château sur roues, le temps nécessaire qu'il m'a dit. À cet instant-là, j'espérais y rester longtemps. Le temps de guérir et d'oublier. Malgré ma journée de fou, je me sentais bien, libre.

Enfin... un peu libre.

CHAPITRE 5

FACE À FACE

La liberté commençait à me peser lourd. Je me traînais depuis déjà quelques jours. Je tournais en rond, une fois de plus. Tellement que je m'appelais moi-même la Toupie. Mes émotions se promenaient en montagnes russes. Je devenais complètement étourdie et j'avais réellement peur de frôler la folie par moment. Assez folle pour être internée avec une camisole de force dans un asile spécialisé pour les grandes et douloureuses peines d'amour. Car ce n'était rien d'autre que ça, une peine d'amour.

Je pouvais passer d'un état à un autre dans le temps de le dire. Des larmes au rire en l'espace d'une minute, comme ça, sans raison. Comme cet après-midi où je jouais au ballon-volant avec des gars et des filles super sympathiques. Rien de stressant ni de compliqué. Je m'amusais comme une enfant avec son jouet préféré. Eh bien, aussi incroyable que cela puisse paraître, je me suis effondrée en pleurs en plein milieu d'une partie. Complètement gaga, la fille ! Tout le monde s'est arrêté pour me regarder. Il y en a un qui pensait que je riais, d'autres croyaient davantage à une crise d'hystérie.

Woodstock, encore lui, est venu à mon secours et m'a raccompagnée à sa vieille camionnette. Je me suis aussitôt endormie.

Je me suis réveillée un peu perdue. Ne sachant plus trop ce qui s'était passé ni où j'étais. Woodstock était à l'extérieur en train de fumer une autre de ses maudites Gauloises puantes : ça m'a ramenée sur Terre ! C'était silencieux. Le genre de silence qui m'effraie et qui me rappelait un passé pas si lointain et que je tentais, par toutes sortes de bêtises, d'oublier.

— Tu ne dors pas Woodstock ?

— Dix heures, c'est un peu tôt pour moi.

— Je me pensais au beau milieu de la nuit.

J'ai regardé Baie-Saint-Paul en bas. Avec toutes ses lumières allumées, je l'ai trouvée apaisante, presque réconfortante. Même le fleuve avait l'air endormi, figé par le temps. Et pourtant, j'étais certaine qu'il bougeait au fond de lui-même. Comme moi.

Mon cœur s'est mis à battre très fort. Je savais ce qui s'en venait. Je connaissais Woodstock depuis seulement quelques jours, mais je le devinais très bien. Son regard en disait long. Son sourire attendri aussi. Je devais affronter Woodstock. Non, je devais m'affronter moi-même. Woodstock, lui, serait à mes côtés pour m'aider, m'accompagner ou, si le besoin s'en faisait sentir, il me relèverait, encore. Et comme toujours, sans poser de questions, sans avoir d'attentes. J'étais nerveuse, mais bizarrement j'en avais envie. Je dirais même que j'étais prête à me regarder dans le blanc des yeux, sincèrement. Pourtant, pas plus tard que la veille, j'étais décidée à passer le reste de l'été cachée dans le vieux camion de Woodstock. Une vraie queue de veau !

Je ne savais pas encore ce qui allait m'arriver, mais il devait se produire quelque chose. Ma nouvelle liberté devenait aussi lourde à porter que ma peine, ma rage et mon deuil. Je croyais bien m'être trompée. Je n'étais pas aussi libre que je le prétendais dans ma tête. Woodstock l'avait compris depuis le tout début.

— Faut qu'on discute ma belle…

— Je le sais.

J'ai parlé. Beaucoup. Tout y a passé. Mon père, mes amours, Juju, l'école, Monique, les problèmes, la vie, la mort.

Et Marie-Ennui. Car je m'ennuyais terriblement d'elle. De sa beauté, de son rire moqueur, de sa bonté, de ses folies, de nos folies, de sa douceur, de son écoute, de son grand cœur.

Je regrettais mon départ sur un coup de tête. Elle me manquait. Une partie de moi n'était pas là et je ressentais maintenant une profonde déchirure. Une partie de moi était restée sur le bord d'un feu en pleine nuit. Je l'avais laissé s'éteindre complètement seul avec toute ma lâcheté et ma crainte d'avoir mal. J'avais choisi de suivre le fleuve. Il m'apparaissait moins menaçant. Erreur. L'eau et le feu, c'est pareil. L'un ne va pas sans l'autre. Comme Maria et moi.

Il devait être trois heures du matin quand Woodstock a finalement eu la chance de placer un mot. Il aurait pu s'endormir et ronfler que je ne m'en serais pas aperçue.

— T'attends quoi, Isabeau ?

— Qu'est-ce que tu veux dire ?

— Je veux dire que ta place n'est pas ici. Tu perds ton temps.

— Je le sais que je perds mon temps. Mais qu'est-ce que tu veux que je fasse ? Maria, c'est moi. Et Maria va mourir. J'ai pas le goût de mourir.

Woodstock s'est approché de moi et m'a regardé droit dans les yeux. Il était si près que j'ai pensé un moment qu'il allait m'embrasser.

— Alors t'as décidé de la tuer toi-même. Tu t'imagines que c'est plus facile à vivre de cette façon ?

— Ce n'est pas ça et tu le sais très bien.

— Oh ! oui c'est ça !

— Tu dis n'importe quoi.

— J'en sais plus que tu ne crois. Moi aussi, Isabeau, j'ai eu beaucoup de mal à vivre avec cette peine de voir partir une personne que j'aimais plus que tout au monde. Ça fait plus de vingt ans et je le ressens comme si c'était hier. À ce moment-là, j'avais fui en Europe. Quand j'ai compris que tout ce que j'avais à faire c'était d'être à ses côtés, il était trop tard. Je vis depuis ce temps avec la culpabilité au fond du cœur. Ne fais pas la même erreur que moi, va la rejoindre, elle t'attend.

Je l'ai regardé longuement, secouée par sa confidence. Je n'arrivais pas à sortir quoi que ce soit de ma bouche, mais il m'a comprise.

— C'était Annie, la femme de ma vie.

Woodstock avait les yeux pleins d'eau. Je ressentais tellement sa peine.

— J'veux pas la voir mourir. Tu comprends ?

— Oui, je comprends. Mais que tu sois ici ou toute seule sur une île déserte, tu vas la voir mourir quand même.

Ma gorge s'est serrée.

— Va chier, Woodstock !

Et j'ai pleuré.

Dans ses bras.

CHAPITRE 6

LE RETOUR

On a beau vouloir se cacher, il arrive un moment où la cachette n'a plus sa raison d'être. Même si cette cachette a été d'un secours incroyable, qu'elle nous a peut-être sauvé la vie, il faut en sortir. Woodstock m'a fait comprendre ça. Il n'avait pas parlé beaucoup, mais juste assez pour me brasser en maudit. J'ai compris que je devais quitter Baie-Saint-Paul et revenir auprès des miens.

Mes adieux à Woodstock furent difficiles. Je m'étais attachée à lui dès que je l'avais vu. Avant d'embarquer dans l'autobus, je lui ai dit que je l'aimais et que jamais je ne l'oublierais.

— Maria est chanceuse de t'avoir.

J'aurais tellement voulu le croire !

Tout au long du retour, je n'ai pas arrêté une seconde de penser à ce que j'allais lui dire, à ce que je devais faire. Je me suis créé des milliers de scénarios, de belles phrases que j'apprenais par cœur. J'essayais de deviner la réaction de Maria. Et j'imaginais le pire : qu'elle ne veuille plus jamais me revoir !

Mais la première personne que je voulais voir ou plutôt que j'avais besoin de voir, c'était ma mère. Aussi incroyable que cela puisse paraître ! La nécessité de remettre avec elle les pendules à l'heure devenait urgente et je tenais à lui faire comprendre qu'à l'avenir je serais avec Maria. Vingt-quatre heures par jour s'il le fallait. Je voulais lui dire de m'oublier pour un bon bout de temps, de me ficher la paix, que sa petite Isabeau n'existait plus. J'avais vraiment l'impression de m'être transformée en l'espace de ces quelques jours, loin d'elle, loin de tout.

Alors j'y suis allée. Pour affronter les reproches et les milliers de questions. Pour tourner la page et continuer à survivre. Je l'ai trouvée à la maison. Enfin, pas la nôtre, la sienne, le presbytère. Elle s'y était réfugiée, car la douleur était trop intense. Comme moi et Baie-Saint-Paul. À chacun sa cachette, son refuge.

— Salut maman…

— Isabeau !

C'était ma première fugue. Alors quoi faire à cet instant précis ? Lui sauter au cou ? Lui demander des nouvelles du petit Jésus ? Lui parler de ses boucles d'oreilles ? M'enfuir encore une fois ? Ce qui était certain, c'est que je n'allais sûrement pas me justifier ou encore moins m'excuser. J'avais sacré mon camp pour une maudite bonne raison. J'avais bien des regrets ici et là, mais il était hors de question de me mettre à quatre pattes et de lui implorer son pardon. Je revenais pour essayer de recoller les morceaux avec Maria. Pas avec elle. De toute façon, entre nous, ça faisait déjà un bon bout de temps que les morceaux étaient éparpillés un peu partout ou carrément perdus.

— Tu vas bien, Isabeau ?

— Oui, ça va.

— Je suis contente que tu sois revenue. J'ai tellement eu peur. Mais maintenant que tu es là, en chair et en os, c'est correct.

J'ai attendu un bon moment en la regardant droit dans les yeux et j'ai failli m'évanouir. Ma mère, la Sainte-Monique-Priez-Pour-Nous me disait qu'elle était contente de me revoir et que c'était correct ! Il y a un lien que je n'arrivais pas à faire entre ce qui était dit et la personne qui me le disait. Mais elle était là, les yeux rougis, la lèvre tremblante, le regard fuyant. Comme si c'était elle qui revenait d'une fugue. Comme si c'était elle qui avait quelque chose à se faire pardonner. Pourtant, la rebelle, l'irresponsable, la sans-cœur partie en coup de vent dans une ville étrangère avec un peu d'argent dans les poches et le cœur bourré de chagrin, ce n'était personne d'autre que moi. Je n'avais pas donné de nouvelles depuis des jours et voilà que ma mère, la Monique hypercontrôlante, s'excusait devant moi. Est-ce Dieu ou la foudre qui l'avait frappée en plein front ? Je l'ignorais. J'ai eu envie de la provoquer, comme d'habitude. C'est un terrain que je connaissais tellement : j'aurais pu m'y aventurer sans aucun problème. L'envie de lui envoyer mes sarcasmes était là. Ça bouillait dans ma tête.

« Vas-y Momo, envoie-les tes reproches et tes commentaires plates. Comment je fais pour être aussi étourdie, aussi immature, aussi cruelle avec toi ? Ai-je pensé à ce qui aurait pu arriver ? La drogue et tous les pédophiles qui traînent sur les coins de rues, y avais-je pensé ? Partir comme ça, sans donner de nouvelles, qu'est-ce que les voisins vont dire ? Ce n'est pas de cette façon qu'on t'a élevée, ma petite Isabeau ! »

Toutes ces phrases vides de sens pour moi, j'étais convaincue qu'elles s'en venaient à la course. Que ma mère allait me les sortir une par derrière l'autre sans attendre une seule réponse, une seule explication.

Eh bien, rien ! Pas une seule question. Pas un seul reproche, si petit soit-il. Alors j'ai éprouvé une immense tendresse pour cette femme. Pour la première fois de ma vie, j'avais l'impression que ma mère me comprenait.

Qu'elle m'acceptait telle que j'étais, avec mes conneries et tout le reste. La toute première fois. Je n'avais pourtant rien eu à dire, rien à expliquer. Seule ma présence suffisait.

Le silence qui régnait à ce moment-là était rempli de réconciliation. Elle m'ouvrait ses bras et son cœur, alors j'en ai profité.

— J'ai de la peine maman.

— Moi aussi, Isabeau.

Enfin, elle était dans mon camp. Je la sentais prête à m'écouter, moi Isabeau, sa fille. Et j'avais envie d'essayer de me rapprocher, de nous donner une chance.

— Maman, j'aimerais ça aller de l'autre bord. Il y a des choses que je voudrais essayer de comprendre.

L'autre bord, c'est la grosse bâtisse en pierres grises avec un clocher accroché bien solidement au-dessus. On appelle ça une église. J'ai ressenti le besoin qu'elle m'explique des choses. Le pourquoi de la mort. Le pourquoi de l'injustice. Le pourquoi de Maria. Le pourquoi de ma vie. Et le pourquoi d'elle-même, d'aujourd'hui. Pourquoi à l'église ? Pourquoi pas ! Depuis le temps que j'entends dire que c'est un lieu privilégié de recueillement et de paix avec un gros P, j'avais envie de l'essayer.

Des heures à parler. Sans pour autant être toujours d'accord. Sans toujours comprendre. Des heures d'écoute. Des larmes aussi, beaucoup. À travers des rires et de légers touchers. J'ai dû me pincer plus d'une fois. Je ne rêvais pas. J'étais assise dans une église aux côtés de ma mère et je me sentais bien. J'avais beaucoup de peine avec tout ce qui arrivait, mais… j'étais bien. Je me demande encore si c'est le vent doux de Baie-Saint-Paul ou la boucane de Woodstock, mais j'avais changé.

— Marie est venue me voir pour me dire que tu étais partie en pleine nuit. Elle savait que tu ne reviendrais pas avant quelques jours. Elle te connaît si bien. Mieux que moi.

Monique pleurait. Sans me regarder. Avec une gêne, une réserve que je ne lui connaissais pas. Elle ne faisait pas pitié à voir. Elle était belle. Belle dans toute sa peine. Belle dans son rôle de vraie mère. Une mère fragile et forte à la fois. Je la découvrais. C'était une nouvelle Monique devant moi. Une nouvelle mère. Elle était authentique. Ce n'était plus la Sainte-Monique qui me tombait tant sur les nerfs, c'était une femme sensible, à l'écoute. C'était ma mère.

Si la police, l'armée et le Pape n'avaient pas été alertés par ma disparition, je le devais à Maria. C'est elle qui lui avait fait comprendre que lorsque je vis des joies comme des peines, ce n'est pas vers ma mère que je vais. C'est vers Maria et personne d'autre. Et avec ce qui arrivait à Maria, j'étais maintenant toute seule à me battre. Ma belle Maria était certaine que j'allais revenir. Qu'elle avait trop besoin de moi pour que je disparaisse à jamais.

C'est à ce moment-là que Sainte-Monique-Priez-Pour-Nous est devenue Monique, ma mère.

— Quand on s'aperçoit que sa propre fille rejette tout ce qu'est sa mère, ça fait terriblement mal. J'ai toujours voulu être ton modèle, ton inspiration. Mais plus j'essaie, plus tu t'éloignes. Alors ta fugue, ou disons, ton escapade à Baie-Saint-Paul, j'ai décidé de la prendre comme une leçon. Et je me suis juré de changer. D'être là pour toi, pour tes besoins, pas juste pour les miens, mais sans rien forcer. J'ai espéré ton retour comme Marie le faisait, en t'attendant. J'ai pilé sur mon orgueil, sur mes principes et, aujourd'hui, j'en remercie le ciel, car tu es là. Je ne suis pas certaine que je vais réussir à devenir la mère dont tu rêves, dont tu as besoin, mais je vais essayer, Isabeau. Je vais essayer pour vrai, pas juste pour me donner bonne conscience. Tu n'as que 15 ans ma belle et je m'aperçois que tu es aussi meurtrie qu'une femme de mon âge. Je te demande pardon, Isabeau. Pardon de t'avoir mise de côté si longtemps. Pardon de ne m'être occupée de toi que lorsque tu faisais des gaffes pour me rappeler que tu étais là, bien en vie. Je t'ai négligée, Isabeau. J'ai oublié MA fille pour mieux prendre soin de ma personne. Si tu me laisses un peu de temps, je vais changer. Je ne serai pas parfaite, mais je ne serai certainement pas pire que ce que je suis en ce moment.

J'étais tout à l'envers. La vie était-elle en train de m'envoyer un message ? Est-ce que Dieu était venu cogner à ma porte ? Si ce n'était pas lui, c'était probablement son cousin de la fesse droite.

— Maman, si ton Dieu existe comme tu sembles le croire, dis-lui de se rendre de toute urgence chez Maria. Et je t'avertis que s'il arrive quelque chose à Maria, je ne me gênerai pas pour lui dire ma façon de penser et il l'aura mérité.

— Il est déjà près d'elle et en prend soin du mieux qu'il peut. Mais il est comme toi, il n'est pas surhumain. Prends soin de ta Marie et prends soin de toi aussi, ma belle Isabeau. Je serai là au besoin. Tu sais où me trouver.

Nous nous sommes serrées très fort.

CHAPITRE 7

LE PARDON

Et Maria. Je me sentais tellement idiote. Je n'avais rien vu venir. Pourtant, ses nombreuses absences des derniers mois à l'école auraient dû me lancer un signal d'alarme. Mais non, rien. J'étais trop centrée sur mon petit nombril. À me plaindre de ma vie, de ma mère, des profs et de tout le reste. Comme d'habitude, j'étais le centre de l'univers et plus rien n'existait autour de moi. Pas même Maria qui mourait à petit feu à mes côtés.

Des maux de tête qu'elle disait insupportables.

— J'ai mal partout, qu'elle répétait.

— Arrête de te lamenter pour rien, vieille mémé. Tu me fais penser à ma mère, que je lui répondais.

Idiote, je vous assure, et complètement déconnectée de la réalité !

C'est Anne, sa mère, qui m'a accueillie. Avec toute la tendresse que je lui connais.

— Marie se repose dans sa chambre. On avait tous hâte que tu reviennes.

Elle m'a serrée dans ses bras et je suis montée.

Je lui ai demandé pardon de toutes mes forces. Elle m'aurait demandé ce qu'elle voulait, je l'aurais fait. J'étais prête à tout. Garder son frère Zach, devenir intime avec Merveille Cayer, rentrer chez les religieuses, vraiment n'importe quoi ! Mais je n'ai eu besoin de rien.

— Te pardonner quoi encore ?

— Je t'ai laissée tomber. Je t'ai abandonnée. Je suis une vraie sans-cœur. Je ne te mérite pas comme amie. Je suis trop…

— Arrête, Isabeau ! J'ai besoin de toi, Isabeau Carpentier-Dumouchel. Et la Isabeau Carpentier-Dumouchel que je connais sacre toujours son camp quand elle a de la peine. Ce n'est rien de nouveau pour moi. Bon d'accord, tu y es peut-être allée un peu fort avec ta cavale des derniers jours, mais je savais bien que tu finirais par te montrer le bout du nez tôt ou tard. Tu es la fille la plus prévisible, la plus sensible, la plus émotive, la plus folle que je connaisse et c'est comme ça QUE JE T'AIME ! C'est pour ça qu'on est les meilleures amies du monde. Vas-tu finir par me croire un jour ?

Et, de toute façon, c'est peut-être moi qui devrais te demander pardon ?

— Toi, me demander pardon ? Tu veux rire de moi !

— Pas du tout. On s'était juré de tout se dire. Tout, sans exception. J'ai manqué à notre serment. Mais je souhaitais t'annoncer que j'avais gagné la grande bataille de ma vie, je voulais t'éviter les derniers jours et ceux qui s'en viennent. Faut croire que les microbes sont plus forts que moi.

C'était bien elle. C'était Marie-Bonté. Pas de reproche, pas de condamnation. Elle était contente de me revoir et elle me demandait pardon !

— En plus de ça, ton voyage en solitaire, j'ai pris ça comme une preuve d'amour. Tu es partie parce que tu étais bouleversée, parce que tu avais mal. Tu étais même prête à affronter les cent mille blâmes et sermons de ta mère pour moi. Qu'est-ce que je peux demander de plus à ma meilleure amie ? Je savais que tu reviendrais. Tu reviens toujours. On a trop besoin l'une de l'autre pour être séparées.

— Tu n'as pas à me demander pardon, Marie-Bonheur, car tu n'as pas manqué à notre serment. Tu as juste voulu, encore une fois, prendre soin de moi. Tu as voulu m'éviter le pire. Maintenant, je suis là et j'y reste. Quoi qu'il advienne, je ne te quitterai pas d'une semelle. Je ne serai peut-être pas très utile, mais je serai là.

— C'est tout ce dont j'ai besoin, Isabeau, de toi, ma meilleure amie et de rien d'autre.

Elle a soulevé son oreiller et j'y ai découvert quelque chose de magnifique : deux bracelets tissés. Un pour elle, l'autre pour moi. À partir de petits fils colorés, il y avait là un travail de moine, tout en délicatesse, fait avec amour j'en suis certaine.

— Ce sont des bracelets d'amitié. On doit les porter en permanence. C'est notre cordon ombilical à nous. Ils nous unissent un peu plus qu'on ne l'est déjà.

J'imaginais ses doigts fragiles, tremblants peut-être, confectionner ce qui allait être un lien bien à nous, juste à nous.

— C'est trop beau, Maria. J'ai peur de le perdre.

— Ça n'arrivera pas. On ne s'est jamais perdues.

Puis on a repris là où on en était avant que je mette les voiles pour Baie-Saint-Paul. J'avais maintenant envie de savoir ce qui s'en venait. Besoin de connaître l'étendue des dégâts.

Un cancer. Un cancer avec un nom long comme ça. Un nom savant afin de nous épargner le pire, soit la mort, rien de plus, rien de moins. Cancer comme bête, banal, mortel, cruel, qui vous glace le sang juste à y penser, qui vous crispe la mâchoire de rage, qui vous donne le goût de pleurer, de frapper, de crier. Mais qui vous dit aussi d'aimer encore plus, de prendre soin, de protéger, de tout donner. Sa vie s'il le faut.

Il y aurait donc les visites et les séjours à l'hôpital. La chimiothérapie, les nausées, les vomissements, la perte de cheveux. Et le désespoir aussi. Et la peur.

Et MON désespoir. Et MA peur.

J'étais décidée à être forte, solide. Enfin, de faire semblant surtout !

— On ne se laissera pas faire, Marie-Courage !

— Qu'est-ce que tu veux dire ?

— On n'attendra pas un miracle, on va le provoquer !

— Provoquer un miracle ? As-tu rencontré le Saint-Esprit durant ton voyage ?

— C'est impossible qu'il n'y ait rien à faire, t'as juste 15 ans. Qu'est-ce que t'a raconté ton médecin ?

— Qu'est-ce que tu voulais qu'il dise ? Il est… désolé.

Désolé ! Ce n'était pas assez pour moi.

— Bon, regarde bien ce qu'on va faire. Pour commencer, on va entreprendre nos propres recherches. Il y a sûrement un traitement qui peut te guérir quelque part dans le monde. Quand on l'aura trouvé, on fera des collectes de fonds. Comme un téléthon, du porte-à-porte, on vendra du chocolat s'il le faut ! On va aussi…

— Arrête, Isabeau !

Je refusais tellement de voir la vérité en face que j'ai continué sur ma lancée. Je voulais entendre parler de guérison, pas de désolation.

— Eh bien, si les médecins sont trop incompétents pour t'aider à t'en sortir, je vais le faire moi.

— Ah oui ! Et tu vas faire ça comment ?

— Tu sauras que l'amitié et l'amour, c'est plus fort que la médecine. Les médecins ne connaissent rien. J'en sais quelque chose, mon père est une sorte de médecin et je ne l'ai jamais entendu prononcer : je t'aime. Avec son cœur, je veux dire. Alors pas besoin d'être un génie pour s'apercevoir que tout ce qui compte pour eux, ce sont la science, les statistiques et rien d'autre. Quand vient le temps d'aider ou de tenter de guérir quelqu'un, ce sont les pilules ou le scalpel. On oublie qu'avec beaucoup d'amour, d'attention, de chaleur humaine, on peut sauver des vies. Tu comprends ?

— Calme-toi, Isabeau, ça va aller.

C'est elle qui m'a consolée ! Me semble que ç'aurait dû être le contraire.

Le temps pressait. Maria m'a bien fait comprendre qu'elle n'avait pas une seule seconde à perdre pour chercher un quelconque miracle ou un charlatan.

— On a une semaine devant nous.

— Comment ça une semaine ?

— Je commence mes traitements lundi prochain. Minimum un mois à l'hôpital. Je n'ai donc pas l'intention d'attendre ici à ne rien faire. C'est le temps de profiter de la vie. On fait quoi ?

— Le mieux que tu as à faire, c'est de te reposer. Faut que tu sois en super forme pour tes traitements.

Comme d'habitude, j'ai parlé dans le vide. Marie-Têtue voulait bouger, alors on a bougé ! La semaine a filé à la vitesse de l'éclair. Je devrais plutôt dire à la vitesse du tonnerre. Les émotions à fleur de peau jour après jour, ça brasse quelqu'un ! Presque vingt-quatre heures sur vingt-quatre avec Maria. Je ne le lui disais pas, mais je vivais chaque minute comme si c'était la dernière. Je ne voulais pas perdre une seconde de sa présence. Un feu roulant d'activités, de sorties, de folies. La Ronde, les glissades d'eau, nuit blanche autour du feu, du camping, une soirée de violon et de poésie. Du plaisir, des fous rires.

Mais surtout des fleurs. On a dû en planter des centaines. Un jardin de fleurs de toute beauté. Choisies avec soin, plantées une à une avec précaution et amour. On a parlé à chacune d'elles. Je crois même qu'il y en a certaines qui nous ont répondu !

— Si jamais je disparais, tu devras t'en occuper toute seule. Et que je ne te voie pas les laisser mourir !

— Parle pas comme ça, c'est impossible que tu disparaisses.

— Oui, c'est possible et tu le sais.

C'est vrai que je le savais.

On a eu nos engueulades aussi.

— Lâche-moi un peu, Isabeau Carpentier-Dumouchel. T'es pas ma mère ! Et je n'ai pas deux ans non plus !

— Comment, ça te lâcher ? Pour une fois que je m'occupe de toi de la bonne façon.

— Je ne t'ai rien demandé à ce que je sache.

— Ta mère l'a dit, faut que tu te ménages un peu. Tu as des baisses d'énergie, alors si je peux t'éviter des pas et des efforts inutiles, je vais le faire.

— Tu ne te vois pas aller Isabeau Carpentier-Dumouchel. Tu es rendue à vouloir me mettre mes sandales. Je ne suis pas à la veille de mourir !

Il y a eu un malaise. Si lourd, si difficile à porter, à sentir. Nos regards se croisaient à peine. On cherchait toutes les deux quelque chose à dire. On voulait passer à autre chose.

— C'est correct, maudite fatigante, aide-moi à les mettre mes maudites sandales qu'on en finisse et qu'on sorte d'ici au plus sacrant. Mais pas question que tu fasses comme hier.

— Qu'est-ce que j'ai fait encore hier ?

— Tu m'as aidée à descendre les escaliers. Comme si j'étais une vieille mémé !

— T'es une vieille mémé !

Heureusement qu'on arrivait à rire, comme avant.

La semaine s'est terminée par le dur retour à la réalité. Car la maladie, ça ne prend pas de vacances. En pleine canicule, là où l'été battait son plein, là où on ne devait penser qu'à s'amuser, rire et parler des gars, Maria a dû se rendre au centre hospitalier pour passer des tests, subir des traitements, encore des tests et encore des traitements. Tout ça pour se faire dire ce qu'elle savait déjà depuis un bout de temps : que le cancer s'était propagé à une vitesse folle et qu'avec les traitements de chimiothérapie, peut-être, mais seulement peut-être, la maladie donnerait un bref répit à Maria.

Le discours de son médecin était rempli de « si », de « peut-être », de « on verra » et de tous ces petits bouts de phrases qui laissent sous-entendre le pire et l'espoir inexistant. Jamais je n'ai entendu le mot « guérison ».

Jamais.

CHAPITRE 8

KEVIN ET L'AMOUR

Un matin, j'ai cru m'être levée tôt pour rien. J'avais complètement oublié le traitement de Maria. Ce qui veut dire, en d'autres mots, repos total. Pas de visite, rien. Pas même un petit bonjour à travers la fenêtre : les rideaux étaient fermés. Les journées de ses traitements, Maria n'endurait personne autour d'elle. Même que les infirmières avaient intérêt à avoir une bonne raison avant de s'aventurer dans sa chambre. Tout le monde dehors, elle voulait la paix ! Ses parents n'étaient pas invités eux non plus. Pour dégueuler, elle préférait la solitude. C'était écrit en grosses lettres sur la porte : NE ME DÉRANGEZ PAS AUJOURD'HUI. VOUS REVIENDREZ DEMAIN... MARIE-MALADE.

Je haïssais tellement ça quand elle se donnait ce nom-là. Sa maladie me sautait dans la face à chaque fois. Sa souffrance aussi, et la mienne, bien sûr.

Je m'en retournais vers l'ascenseur quand j'ai entendu quelqu'un crier mon nom derrière moi. C'était Lise, une infirmière hyperdrôle, hypergentille, mais surtout hypersensible. La préférée de Maria. Elle avait le don de toujours trouver les mots justes pour remonter le moral. En fait, ce n'était pas seulement ses mots, mais sa présence qui était réconfortante, rassurante. Il y avait une forme d'aura autour d'elle, qui protégeait et consolait. C'était elle aussi qui calmait mes angoisses quand j'étais sur le point de dérailler.

— Tu t'en vas déjà ?

— Je n'ai rien à faire ici. J'avais oublié que Maria avait un traitement ce matin.

— Si t'as le goût de te rendre utile, j'ai quelqu'un à te présenter.

Je me suis dis : pourquoi pas ? Tant qu'à avoir fait tout ce trajet aussi bien rester et faire de quoi.

— Il s'appelle Kevin. Il a huit ans. Maria le connaît bien ; elle lui rend visite presque chaque jour quand sa condition le lui permet. Sa famille est à l'extérieur de la ville. Ça lui ferait du bien d'avoir un peu de compagnie.

Deux étages plus haut, une vraie cour d'école ! Des enfants qui pleuraient, d'autres qui riaient. Je ne savais pas si ceux qui criaient le faisaient de joie ou de souffrance, je ne parvenais pas à faire la différence. J'imagine qu'il n'y en a pas. Un cri, ça reste un cri. Il vient de la même place, du fond de la gorge, du cœur ou du ventre.

Arrivée au bout du couloir, Lise a poussé délicatement la porte. Une petite tête s'est retournée vers nous.

Sacrament ! C'est le premier mot qui m'est venu quand je l'ai vu. J'ai eu peur de l'avoir dit tout haut. J'avais l'impression de m'être fait tromper. Un guet-apens, rien de moins. Dans ma tête, un gars de huit ans ça court partout, ça crie et ça braille pour attirer l'attention. C'est plein de vie quoi ! Même malade, c'est censé être tannant et pas endurable. Mais celui que j'avais devant moi ne répondait à aucun de ces critères. Vraiment aucun.

Lise était toujours là, souriante comme d'habitude, occupée à faire les présentations d'usage. Lise, l'hypergentille, l'hyperçi, l'hyperça, je la trouvais tout à coup hyperépaisse de m'avoir emmenée ici.

Kevin, lui, semblait super content d'avoir de la visite. Moi, je devais avoir la bouche grande ouverte comme si j'arrivais de Mars ou de Jupiter. À le regarder vite comme ça, on avait l'impression qu'aucun de ses membres n'était à la bonne place. Étendu dans un lit bien trop grand pour lui, avec une couche en plus, il respirait le bonheur juste à me voir. Moi, mon bonheur aurait été de déguerpir au plus vite. Je savais comment faire.

— Bon, je vous laisse. Je dois retourner sur l'aile d'onco.

La Lise qui partait par-dessus le marché !

J'ai failli feindre un mal de cœur ou de ventre. Finalement, je me suis accrochée un beau sourire forcé et je suis restée.

— C'est toi, Isabeau, la meilleure amie de Marie ?

— Euh… oui, elle t'a parlé de moi ?

— Chaque fois qu'elle vient me rendre visite.

— Et qu'est-ce qu'elle t'a raconté de bon à mon sujet ?

— Que tu as une tête de cochon, que tu as peur de l'hôpital, que tu es un peu beaucoup compliquée, mais qu'elle ne sait pas ce qu'elle ferait sans toi.

— Elle t'a dit tout ça ?

— Tout ça et bien plus, mais c'est ce que j'ai retenu.

Finalement, j'ai passé tout l'après-midi avec Kevin. Je ne me suis pas ennuyée une seconde. Il n'a que huit ans, mais on pourrait lui en donner au moins douze. Dans la tête, je parle, car Kevin est intelligent, drôle, mature. Faut croire que sa maladie lui a apporté un peu de bon dans sa vie. Mais physiquement, il n'y a pas d'âge pour ça.

Bavard comme j'ai rarement vu. Il a parlé sans arrêt. De ses jeux préférés, du personnel de l'hôpital et de cinéma.

Il m'a aussi raconté une histoire de fous. Il m'a juré que son frère et sa sœur étaient jaloux de lui.

— Comment, ça jaloux ? Il n'y a personne d'assez fou pour être jaloux d'un petit gars qui...

— Qui quoi ?

— Ben qui...?

— Qui est emmanché comme moi ?

— C'est pas ce que je voulais dire.

— C'est ce que tu as dit quand même et c'est bien correct, car c'est en plein ce que je pense, moi aussi !

Le sacripant ! Je ne voulais surtout pas lui faire de peine, mais il avait raison, c'est ce que je pensais.

Pas reposant, les enfants. Kevin passe la moitié de son temps couché à cause de son état. Il passe de longs séjours à l'hôpital, loin des siens. Presque pas d'amis et une espérance de vie bien en deçà du monde, disons normal. Malgré tout ça, il y en a toujours un, quelque part, qui trouve le moyen de se plaindre que Kevin est trop gâté, qu'il a trop d'attentions et de privilèges. On aura tout vu et tout entendu ! Mais le plus incroyable, c'est que, malgré son état, Kevin était d'abord et avant tout un enfant heureux. Je dirais même plus heureux que la moyenne des enfants que je connaissais.

Après vingt-deux parties de « puissance quatre », sept de « bataille navale » et une bonne dizaine de dessins, je me préparais à partir, le cœur gros. J'avais l'impression de l'abandonner avec son petit bonheur, ou plutôt son grand bonheur, car il ne connaissait pas de petit bonheur. Pour lui, la vie était un cadeau chaque jour.

On n'a pas parlé une seconde de son état, de sa maladie ou de son handicap. Je n'ai jamais su ce qu'il avait vraiment. Mais je savais l'important. Je savais qui il était : un petit gars épatant et qui pourrait faire des conférences sur la joie de vivre à bien du monde, moi comprise.

Un dernier baiser sur la joue et j'allais partir. En me retournant, je l'ai vu planté dans le cadre de porte.

— Tristan !

C'est Kevin qui m'a sortie de mon semi-coma. Tristan. Il s'appelait Tristan. Trop jeune pour être son père. J'ai pensé à son frère, un bénévole peut-être.

— Salut Kevin. Je vous dérange ?

C'est là que j'ai commencé à m'enfarger comme moi seule sait le faire. Et pourtant, tout ce que je voulais faire, c'est une phrase complète.

— Euh non…Tu ne déranges pas… Je m'appelle… Maria…

— Salut Maria. Moi, c'est Tristan. Je suis le cousin de Kevin.

Kevin est venu à mon secours.

— Maria ? C'est pas vrai. Elle s'appelle Isabeau.

— Oui, oui c'est ça, Isabeau. Maria… c'est… c'est pas moi !

Tout ce qui a de plus tarte. Tarte avec un gros T. Tarte aux pacanes, celle que je déteste le plus.

Tristan. Beau comme… personne d'autre ! Des yeux verts et un sourire timide. Nos regards se sont croisés et… une étincelle.

Mon cœur battait trop fort et j'étais sûrement rouge tomate trop mûre. Alors je me suis sauvée. Presque en courant. Comme à mon habitude. Espèce d'idiote que je suis !

CHAPITRE 9

UNE FÊTE

L'été tirait à sa fin. Le moral de Maria avait des hauts et des bas. Plus de bas en fait. De plus en plus fatiguée, de plus en plus irritable. La maladie la grugeait autant physiquement que moralement. Son teint, si basané en temps normal, prenait une blancheur inquiétante. Pâle à en faire peur par moments. Les quelques cheveux qui avaient résisté aux traitements étaient bien à l'abri sous un foulard. Mais le pire, c'est que je la sentais souvent perdue dans ses pensées, que j'imaginais un peu plus sombres au fil des jours. Et septembre qui frappait à la porte avec l'école qui s'en venait à grands pas. La rentrée scolaire prenait un tout nouveau sens, tant pour Maria que pour moi. Car même si on n'en parlait pas, on se doutait bien que ce serait la dernière rentrée pour ma meilleure amie.

C'était donc une de ces journées où elle était triste, découragée. Et tout à coup, son sourire m'est apparu comme par magie.

— Je l'ai ! Je viens d'avoir une idée super brillante. J'aurais dû y penser bien avant.

— C'est quoi cette idée si brillante ? J'ai hâte d'entendre ça.

— On organise une fête, proposa Maria.

Une fête ! Tu parles d'une idée. J'étais loin d'être d'accord. Même que je ne l'étais pas du tout. Parce qu'une fête, c'est pour souligner un événement heureux, avoir du plaisir, danser, rire. Ce n'est pas pour sentir que c'est la fin.

— Il n'en est pas question ! Tu n'es pas assez en forme ces temps-ci pour organiser une fête. T'as pas arrêté une minute depuis le début de l'été. Tu dois te reposer, reprendre des forces, faire attention…

— Arrête, Isabeau, tu me déprimes davantage. En fait, je ne te demande pas ton avis, je te dis ce que je vais faire. Si tu ne veux pas m'aider à l'organiser, ce n'est pas grave, je trouverai bien quelqu'un qui acceptera de me donner un coup de main. Je suis sûre que Lise serait ravie de le faire.

Ma gorge s'est serrée.

— Veux-tu bien me dire ce qu'on a à fêter ?

Son regard devinait ma peine, mon angoisse.

— Isabeau, j'ai envie de m'amuser. J'ai plein d'amis. Je les aime et j'ai besoin de le leur dire.

J'ai envie de passer du temps avec eux, de les serrer contre moi. De les serrer si fort qu'ils pénètrent en moi afin que je puisse amener un petit bout de chacun là-bas, en haut. Les jours où je vais m'ennuyer, j'aurai juste à me rappeler cet instant et tout ira mieux. Je n'ai pas envie d'attendre. Je n'ai pas le temps d'attendre. Des fois je me dis que si je vais vite, si j'ai plein de projets et d'activités, eh bien ! la mort ne pourra jamais me rattraper. Tu sais aussi bien que moi qu'on approche du sprint final et que ce n'est pas moi qui suis en tête. Je dois donc mettre tout en œuvre pour gagner la course. Je dois travailler d'arrache-pied, jour après jour, afin que cette satanée mort m'oublie, qu'elle me laisse tranquille et qu'elle en vienne à penser que je ne la mérite pas. Mais si je reste là à l'attendre, eh bien, elle viendra me chercher et n'aura même pas à faire d'effort. Cette fête, c'est pour me battre. C'est pour crier que je n'ai pas l'intention de baisser les bras sans rien dire. Et que si Celui qui est en haut me veut vraiment, il devra y mettre le paquet pour m'y emmener. Ça, je te le promets, Isabeau. Il devra faire des efforts surhumains pour nous séparer.

Il n'y avait que les mots de Marie-Courage qui pouvaient sécher mes larmes. Que ses bras pour me réconforter et me donner un peu d'espoir. Elle savait si souvent trouver les mots justes. Ceux qui me touchaient droit au cœur et qui me donnaient encore le droit de rêver. Rêver qu'elle ne partirait pas, qu'elle serait toujours là. Ça m'a fait tant de bien de l'entendre parler comme ça. C'était comme un hommage à la vie, à notre amitié. Les paroles réconfortantes, les mots qui apaisent et qui transportent l'espoir à bout de bras, c'est moi qui devrais les avoir. Tous, sans exception. J'étais en pleine santé, la mort et la maladie ne cognaient pas à ma porte, mais c'est moi qui semblais avoir le plus besoin d'encouragement. Le monde à l'envers !

— Tu pourras en profiter pour présenter ton amoureux à tout le monde.

Mon cœur s'est arrêté de battre. J'avais caché Tristan au fond de mon cœur, bien à l'abri, et le voilà à découvert.

— Je n'ai pas d'amoureux à présenter à qui que ce soit.

— Ben oui ! Tristan, le cousin de Kevin.

— Ce n'est pas mon amoureux, c'est juste un ami. Même pas un ami, je dirais plus une connaissance.

— Isabeau, arrête de faire ta vieille fille ! Regarde-toi, tu rougis juste à m'en parler. Qu'est-ce que tu attends pour me le présenter ? T'as peur que je te le vole ?

À cet instant précis, j'aurais dû lui dire que ma relation avec Tristan était parfaite telle qu'elle était à ce moment-là, que je n'avais pas envie d'aller plus loin, que son amitié me comblait, que… mais Marie-Sait-Tout m'a devinée. Encore !

— Ah ! je sais. Tu attends que je ne sois plus là.

— Ce n'est pas ça, Maria…

— T'as peur de me faire de la peine.

— Ce n'est pas ça non plus.

— C'est quoi, alors, si ce n'est pas tout ça ?

Mon silence disait tout. Mon regard fuyant traduisait mon malaise. Oui, j'aimais Tristan, comme je n'avais jamais aimé un autre gars. Oui, j'aurais voulu passer des heures et des heures avec lui. Oui, Maria avait raison. Oui, j'avais peur de la trahir, de la tromper. Mais comment dire ça à la personne que j'aimais le plus au monde et surtout lorsque les jours, les mois de cette personne étaient comptés et que depuis deux mois on vivait chaque instant ensemble comme si c'était le dernier ?

— Isabeau, tu n'as pas à attendre que je lève les pattes pour aimer ton Tristan. Arrête de le voir en cachette chaque fois que tu viens à l'hôpital.

— Franchement, Maria, je ne le vois pas en cachette.

— Oui tu le vois en cachette, Kevin me l'a dit.

— Kevin, le petit maudit ! Comment il sait cela, lui ?

— T'es un grand livre ouvert. Tu ne peux rien nous cacher.

Quand je suis retournée à l'hôpital, à la suite de ma première rencontre avec Tristan, la fois où j'ai eu l'air complètement idiote et ridicule, je suis allée saluer Kevin. J'avoue que je n'y allais pas que pour lui ; j'espérais tant tomber face à face avec mon beau Tristan, mais il n'était pas là. Quand est venu le temps de repartir, Kevin m'a remis un bout de papier.

— Ah oui, j'oubliais, Tristan m'a demandé de te remettre ça la prochaine fois que je te verrais.

Son numéro de téléphone et son adresse électronique. Le bonheur avec un gros B ! J'ai tenté de faire comme si de rien n'était. Faut croire que ça n'a pas fonctionné. Je me suis trahie moi-même. Depuis ce jour-là, on s'appelle ou on s'écrit tous les jours et, chaque fois que je vais rendre visite à Maria, on se donne rendez-vous en cachette. On s'est même embrassés, l'autre jour. Oui, je l'aime…

— Et si je te disais que, moi aussi, je suis en amour, tu serais fâchée ?

— Bien sûr que non. C'est qui ?

— Nicolas. On s'est rencontrés à l'hôpital, nous aussi.

— Il travaille là ?

— Non, c'est un mourant, comme moi.

— Dis pas ça, Maria.

— C'est quand même la réalité, notre réalité.

La maudite réalité ! Elle venait tout bousiller entre Maria et moi. Elle changeait les règles du jeu sans vraiment qu'on s'en aperçoive. Avant, on se disait tout. Tout ! Sans rien oublier, sans rien se cacher. La moindre nouveauté, la niaiserie insignifiante du quotidien, tout, nous savions tout l'une de l'autre. De la peine d'amour à la couleur de nos petites culottes ! Et j'exagère à peine. Puis on a eu nos secrets, nos blessures, nos amours, chacun pour soi. Comme si on était en train de préparer l'après. Comme si on essayait de vivre l'une sans l'autre, chacune dans son monde, son nouveau monde.

— En fait, je ne suis pas certaine que c'est vraiment de l'amour.

— C'est quoi alors, si ce n'est pas de l'amour, Marie-Amoureuse ?

— Je ne sais pas trop. C'est une sorte de relation de service. On prend soin l'un de l'autre.

— Une relation de service ? Ça fait fonctionnaire à mort !

— Mais ce ne l'est pas. Il y a beaucoup de tendresse, d'affection. Dans le fond, c'est peut-être ça l'amour des mourants.

Une semaine plus tard, on l'a faite sa fête. Tous ceux que Maria voulait voir étaient là.

Les copains de l'école, d'autres connus à l'hôpital, toute sa famille évidemment. Lise, cette
chère Lise, y était avec toute sa bonté. Même
son médecin, Doc Bourreau comme elle l'appelait, s'était déplacé pour l'occasion. Seul
Kevin n'avait pu être présent, car il était re-
tourné dans sa famille pour quelques semaines. J'en avais glissé un mot à Monique qui ne
voulait pas manquer cela pour rien au monde.
Ça faisait un peu bizarre de voir ma mère à la
même fête que moi, avec mes amis, mais j'étais
bien contente. Je l'observais de loin pour qu'elle
ne fasse rien qui pourrait me faire honte. Elle
s'est présentée à tout le monde. Elle avait l'air
d'une bourgeoise en campagne électorale.

— Bonjour. Je suis Monique, la mère d'Isabeau.

Il me semblait qu'il n'y a pas si longtemps,
elle aurait dit cela avec un sac en papier sur la
tête pour ne pas se faire reconnaître. Faut dire
qu'il n'y a pas si longtemps j'aurais fait exac-
tement la même chose ! Il aurait été hors de
question qu'elle se présente à la même soirée
que moi. C'est fou comme ça change vite la vie.

Jean-Sébastien était impressionné.

— T'as invité ta mère ici ?

— Ben oui. C'est une longue histoire.
Disons qu'on se parle davantage maintenant.
On arrive à se comprendre.

— Je vois ça !

Je le regardais et j'avais juste envie de lui demander si le fait d'être sorti avec moi l'avait décidé à devenir gai. Mais je n'étais pas certaine que ça se demandait. En même temps je redoutais sa réponse. Et si par ma présence, mon contact, il arrivait quelque chose de spécial, ou pire, de grave à ceux que j'aime ? Que ferais-je avec tout ça ? Serais-je une sorcière avec des pouvoirs maléfiques ? Il s'est vite aperçu qu'il y avait quelque chose qui me chicotait.

— Qu'est-ce qu'il y a ?

— Euh… rien. Bien, en fait, je voulais savoir si…

— Si quoi ?

— Si… si t'avais une blonde.

— Non. Pour l'instant j'ai mis ça de côté.

— Ah oui ! T'as mis ça de côté ? Pour combien de temps ?

— Je ne le sais pas, moi. Comment veux-tu que je le sache ? As-tu quelqu'un à me présenter ?

— Non, c'est pas ça. C'est juste que je voulais savoir si…

— Tu veux savoir quoi, Isabeau ? T'es donc bien bizarre avec tes questions.

— Je voulais juste savoir si tu m'as vraiment aimée.

— Bien sûr que oui. T'as beau vouloir avoir l'air « tough », t'es une fille super sensible, mais bien compliquée aussi, un peu trop pour moi !

Sensible et compliquée ! La compliquée, je la connaissais, la sensible, j'apprenais à vivre avec, le mieux que je pouvais.

— Isabeau, j'ai quelqu'un à te présenter.

Maria m'est arrivée avec son Nicolas. Il semblait plus vieux qu'elle. Grand, les yeux bleus, mais si pâles. Je sentais sa maladie encore plus difficile à porter qu'elle ne semblait l'être pour Maria.

— Nicolas, je te présente ma meilleure amie, Isabeau.

— Salut, Isabeau. J'ai beaucoup entendu parler de toi.

J'ai tout de suite fixé le foulard. Rien à voir avec la mode. Le foulard, c'est pour la mort. Du moment où on remplace ses cheveux par un foulard, la mort est-elle plus proche ? Combien de jours, combien de mois ? Mes yeux n'arrivaient pas à se décoller de ce fichu foulard devenu symbole pour moi. Un simple foulard qui renferme tant de secrets, de peurs, de larmes.

J'ai compris à cet instant ce que voulait dire Marie-Foulard quand elle me parlait de sa relation avec lui. Je ne les sentais pas amoureux. Seulement très près l'un de l'autre. Je sentais plus de besoin de part et d'autre que d'amour. Comme si partir à deux pour le grand voyage était beaucoup plus facile, moins souffrant.

Chacun son foulard et hop ! Prêt pas prêt, on y va ! C'est le grand saut !

Je sais, c'est ridicule, mais pendant quelques secondes j'ai ressenti de la jalousie. Je voyais plus ce Nicolas en ennemi qu'en allié. Comme si j'allais perdre Maria avant son temps. Comme si Nicolas était un voleur, qu'il était sur le point de kidnapper Maria pour toujours et que je n'avais rien pour payer la rançon exigée. Encore mon bonheur, mes besoins qui passaient avant tout. Maudite égoïste que j'étais ! Perdue dans mes pensées, je continuais à fixer la tête de Nicolas quand ma chère maman m'a brutalement ramenée à la réalité.

— Isabeau, regarde qui vient d'arriver ?

Le voilà enfin, Tristan. Une Monique heureuse et trop souriante, un Tristan quelque peu intimidé par toute l'attention portée sur lui, une Marie-Moqueuse qui attendait la suite des événements, un Nicolas qui se demandait bien ce qui se passait et finalement une Isabeau heureuse de voir son amoureux, mais découragée de voir sa propre mère accrochée au bras de celui qu'elle aime et qu'elle gardait secret depuis des semaines.

Je me suis questionnée toute la soirée pour savoir si j'avais bien fait d'inviter Tristan. J'étais encore tiraillée entre mon amour pour Tristan et ma loyauté envers Maria. Comme si l'un et l'autre étaient en confrontation.

Mais ce fut une belle fête. Marie-Bonheur portait bien son nom. Elle était radieuse, heureuse de voir tout son monde.

Vers minuit, la musique s'est arrêtée. Marie-Douceur s'est pointée sur le balcon avec son violon. Elle était là, debout, sereine, forte, mais surtout belle. Elle nous regardait tous l'un après l'autre avec un regard tellement rempli d'amour qu'un frisson nous traversait le corps à tour de rôle. La lune, juchée juste au-dessus d'elle, la rendait encore plus resplendissante. Il y avait dans l'air une sorte d'énergie enivrante. Une forme d'admiration mutuelle entre Marie-Musique et nous tous.

Et elle s'est mise à jouer l'*Adagio d'Albinoni*, mon air préféré.

CHAPITRE 10

LA COLÈRE

Je me suis découvert un sixième sens. Bien avant d'arriver chez Maria, je soupçonnais que quelque chose n'allait pas. Plus j'approchais de la maison et plus je la sentais froide, inquiétante. J'accélérais le pas. En fait, c'est la peur qui me faisait avancer plus vite. Je devinais le danger.

En entrant, vision d'horreur ! Zacharie qui, habituellement, court partout, était dans les bras d'Anne, sa maman, littéralement apeuré. Xavier, son père, si fort, si droit, était assis dans les escaliers, la tête entre les mains. On aurait entendu voler une mouche, mais pas pour longtemps.

— JE SUIS ÉCŒURÉE ! FOUTEZ-MOI LA PAIX ! JE NE VEUX PLUS VOUS VOIR ! JAMAIS ! VOUS M'ENTENDEZ ? JAMAIS !

Ça retentit si fort, de façon si brutale que j'ai eu un mouvement de recul. Une tornade vocale. Un cri de détresse profond qui sortait tout droit du ventre de Marie-Douleur. J'en ai eu un haut-le-cœur.

— Je vais y aller, que j'ai dit

— Non, on va attendre, faut que ça sorte, m'a aussitôt répondu Xavier.

La réponse de son père ne laissait aucune place à la négociation. Alors j'ai attendu moi aussi. Au bout d'une heure, qui m'a paru une éternité, je suis montée à sa chambre. J'y ai trouvé une Maria, défaite, à bout, vidée, découragée. Tout ça à la fois et bien plus.

— Nicolas est mort.

On répond quoi à ça ?

Je n'ai rien dit et je l'ai prise dans mes bras. Ce fut la première fois qu'on pleurait. Ensemble, je veux dire. En pensant à la mort, sa mort.

— J'ai si peur, Isabeau. Je ne veux pas avoir peur, mais c'est plus fort que moi, je n'y peux rien. Je voudrais tellement être forte, courageuse, prête à affronter tout ça, mais je ne fais que semblant depuis le tout début. Je suis rendue dans le fond du baril et je n'ai plus la force d'en sortir. Il n'y a plus de lumière au bout du tunnel. C'est le noir total. Je ne suis plus capable de me battre, je veux mourir comme Nicolas et arrêter de croire que je vais passer au travers. La tempête est plus grosse que moi, plus grosse que tout et il n'y a plus rien à faire. Je me tais depuis le début, Isabeau. Je ménage ma famille, j'essaie de ne pas faire de peine à mes parents. À Zacharie surtout, il est bien trop jeune pour avoir mal, et toi Isabeau, ma meilleure amie, tu combats comme moi avec autant d'ardeur. Crois-tu que je ne suis pas au courant que tu pleures tous les soirs, cachée dans le fond de ta garde-robe ? Que tu trembles autant que moi en pensant à ma fin ? Tu n'as pas besoin de parler pour que je te comprenne, Isabeau. Je sais parfaitement ce que tu vis.

J'aurais aimé lui dire que ce n'était pas vrai. Que je ne vivais aucune peur, aucune peine, mais j'en ai été incapable. Elle a tellement pleuré ce jour-là qu'elle s'est endormie dans mes bras. Un sommeil agité, parsemé de sursauts et de mauvais rêves. Mais j'étais là. À prendre soin d'elle, à la tenir contre moi pour la protéger. J'ai prié aussi. Prié pour qu'on la laisse en paix, pour qu'elle puisse être une fille de 15 ans normale, avec ses rêves d'avenir, ses folies, ses joies.

Le départ de Nicolas a créé un vide immense pour Maria. Une de ses bouées était partie quelque part en pleine mer, l'abandonnant là, presque seule à combattre vents et marées. Sans le savoir, il était l'espoir vivant de Maria. Il fut en quelque sorte son modèle de courage et de lutte contre cette maudite maladie. Mais il avait finalement perdu, laissant Maria avec son petit bonheur et un doute douloureux au fond du cœur. L'espoir qui l'animait jour après jour en avait pris pour son rhume et je sentais la colère gronder en elle. Pas la colère qui nous fait aller plus loin, qui nous donne un coup de pied au derrière, non, plutôt celle qui nous assomme, qui nous coupe les ailes et qui nous ramène à la triste réalité.

Dès le lendemain, j'ai laissé Tristan. Il n'y avait plus de place pour lui dans ma vie. Marie-Solitude avait besoin de moi comme jamais et, tout l'amour que j'avais en moi, lui était maintenant destiné.

CHAPITRE 11

LE TÉLÉPHONE

Le téléphone qui se fait entendre à l'aube n'annonce jamais rien de bon. Que des drames et des larmes. Il sonne toujours trop fort à cette heure-là. La planète est encore trop endormie pour qu'il annonce l'espoir et la joie.

Je crois qu'il n'a pas eu le temps de terminer sa première sonnerie que j'avais déjà décroché. Une prémonition sans doute. J'attendais cet appel. Je le redoutais.

Si tôt, les mots sont superflus. Ils sont presque inutiles, de trop.

— Isabeau ? C'est Lise. Tu peux venir ? Marie te demande.

Sa voix était douce, remplie de paix. J'ai raccroché sans rien dire. Maria m'attendait à l'hôpital pour le dernier voyage. SON dernier voyage, pas le mien. Rien à faire, je devais rester sur le quai et la regarder partir sans rien dire. C'est comme ça dans les derniers voyages, il y en a un qui part tout seul de son bord et tous les autres restent là, bêtement, à le regarder s'éloigner en se disant « j'aurais donc dû lui dire ça, lui faire ceci ». Celui qui s'en va est serein, généralement en paix, tandis que les autres sont remplis de regrets.

Elle m'avait promis de ne pas partir sans que je sois à ses côtés. Comme toujours, elle avait tenu promesse.

J'étais là sans bouger à regarder par la fenêtre le jour qui s'étirait. L'horizon orangé annonçait une superbe journée. Comme l'aurait aimée Marie-Soleil. Je me souviens du vent aussi, un vent frais d'automne. Celui qui nous rappelle que l'hiver est à nos portes. Un vent frais qui caresse les visages, qui balaie les cheveux. Un vent d'automne qui, malgré sa fraîcheur et sa beauté, venait chercher une partie de moi, sans permission. Le vent, c'est tout ce qui était vivant. Plus vivant que moi. Plus vivant que tout.

Quand Monique a ouvert la porte de ma chambre, elle était déjà habillée et prête à partir. Elle savait elle aussi. Elle savait que plus rien ne serait pareil. Que la petite Isabeau qu'elle avait connue n'existerait plus. Pas qu'elle serait plus grande, mais qu'elle serait à coup sûr différente. Plus belle ? Plus sage ? Peut-être aussi un peu morte avant son temps.

— Viens, Isabeau, il faut y aller.

Monique m'a prise par la main. Comme quand elle me protégeait lorsqu'arrivait le temps de traverser la rue, il n'y a pas si long-temps. C'est fou comme une main peut être réconfortante dans ces moments-là. Pauvre Monique, elle avait les yeux pleins d'eau, mais j'étais incapable de la consoler. Je me souviens que l'idée de lui dire que Lise avait appelé pour annoncer que tout allait bien, que Maria était hors de danger et qu'enfin je pouvais recommencer à vivre et à respirer normalement, m'a effleuré l'esprit. Mais je n'ai rien dit.

Je m'étais juré de ne pas pleurer. Maria m'avait consolée tant de fois que c'était maintenant à mon tour d'être forte et rassurante. Je me disais que je ne serais d'aucun secours en larmes. Je tenais bon. Je m'y préparais depuis un moment déjà, en cachette, sans en parler à personne. On ne peut pas se préparer devant la face du monde pour un moment comme celui-là, sans passer pour une sans-cœur, une égoïste de la pire espèce. J'avais fait le serment d'être forte, solide comme le roc. Je voulais ravaler et ravaler encore. Pas une larme, pas un sanglot n'étaient autorisés à sortir de moi sans ma permission. Je voulais choisir le moment. Ce n'était certainement pas la mort qui allait décider comment j'allais vivre mes émotions. J'allais décider moi-même. Et à ce moment-là, les larmes, pas question. J'avais trop à faire. Je devais accompagner Maria. L'accompagner malgré mon désaccord le plus profond. Le ciel, le bon Dieu, l'au-delà, la Vie éternelle et que sais-je encore, l'attendaient pour une vie qu'on dit meilleure. Et c'est moi, Isabeau, sa meilleure amie, qui devais l'y conduire. Un non-sens auquel je m'étais engagée sans pour autant l'accepter. Pour Maria, pour elle seule, comme un héritage que je lui laissais. Nous en avions souvent discuté au cours des dernières semaines. Elle en parlait alors avec une telle sérénité, avec une paix si profonde que je m'étais surprise à croire en ce Dieu. Son nouveau chum, comme elle l'appelait. J'avais accepté l'idée d'une certaine façon que c'était Lui qui allait prendre soin d'elle à l'avenir. J'aurais voulu qu'elle me le présente pour que je puisse le toucher, le sentir et voir si, dans ses yeux, il y avait assez d'amour afin que Maria n'en manque jamais.

J'imaginais cette envolée qu'elle s'apprêtait à faire. C'est elle qui m'avait parlé de sa mort en ces termes, une belle et douce envolée. Elle me parlait des aurores boréales multicolores qu'elle rejoindrait bientôt. Ces aurores boréales qu'elle affectionnait tant. Elle irait les retrouver pour se fondre dans leurs couleurs, dans leurs danses étranges. La peur semblait l'avoir abandonnée. On aurait dit qu'elle était prête à lâcher prise pour de bon, qu'elle avait enfin confiance en ce qui l'attendait dans cette envolée.

C'est en sortant de la maison que j'ai réalisé où je m'en allais. À l'abattoir. À la morgue. En enfer. J'y allais de mon plein gré. Comme une acceptation de l'inacceptable. Comme une compréhension de l'incompréhensible. Moi, Isabeau, 15 ans, j'allais affronter la mort. En pleine face. L'air courageux et serein. Affronter la mort comme on affronte la vie. En la regardant droit dans les yeux, en suivant son chemin jusqu'au bout. Au bout de sa folie et de son entêtement.

Et cette mort avait pour nom Maria. Marie-Amour. Marie-Toujours. Marie-La-Vie. Marie-Espoir. Elle avait aussi pour nom Isabeau Carpentier-Dumouchel.

Ce fut un voyage interminable. Monique conduisait trop lentement, faisait des détours inutiles, les feux de signalisation prenaient deux fois plus de temps qu'à l'habitude, les autres conducteurs nous empêchaient d'avancer normalement, et quoi encore. En fait, je ne voulais pas arriver à destination.

Mais nous sommes arrivées. Beaucoup trop tôt. Comme si ma présence avait accéléré les choses. Zacharie était en larmes, dans les bras de son père, à l'extérieur de la chambre. Rien pour m'aider à affronter tout ça. Mais quand il m'a vue, il a arrêté de pleurer, m'a souri et s'est jeté dans mes bras.

— T'en fais pas, Isabeau, elle n'a plus mal.

Cher Zach, si détestable par moments, si touchant dans d'autres. Comme si le fait de ne plus la voir souffrir rendait notre souffrance moins pénible.

Mon cœur battait si fort que j'ai eu le réflexe de poser ma main dessus pour le calmer et lui donner le temps de reprendre son souffle avant d'ouvrir cette porte. Monique m'a embrassée sur le front et son regard me disait, sans l'ombre d'un doute, qu'elle m'aimait profondément et qu'elle serait là pour moi. Je me suis décidée à entrer et c'est à ce moment que j'ai compris que c'était bien vrai. Que mon cauchemar du début de l'été était bel et bien réel.

Lise, cette super infirmière qui était là depuis le début de toute cette histoire, lui épongeait le front. Je me suis approchée doucement pour ne pas brusquer ce qui semblait être un repos bien mérité. Maria a posé sa main sur la mienne. J'ai été un peu surprise. Sa main était chaude, réconfortante. Ses yeux se sont ouverts à moitié et, au même moment, une larme s'est échappée de son œil. Mes lèvres se sont posées sur cette larme avant qu'elle ne disparaisse sur l'oreiller.

— Je suis là, Maria.

Elle m'a regardée et j'ai compris. Elle était prête à partir, à s'envoler. Elle n'attendait que mon signal. C'était maintenant à moi de parler.

— Ma belle Maria. Marie-Amour. Tu peux y aller. Va rejoindre tes aurores boréales. Envole-toi, n'aie pas peur, je suis là. Marie-Toujours… je t'aime. Je t'aimerai toujours. Je serai toujours là, toujours.

Elle a souri. Son souffle s'est apaisé. J'ai déposé mes lèvres sur son front, serré sa main très fort. Puis, nos regards se sont croisés une dernière fois. Ses parents se sont alors approchés et je suis allée me blottir dans le coin de la chambre. Cette chambre que je connaissais par cœur, que j'avais maudite tant de fois. Je savais que Marie-L'inoubliable avait besoin de moi, il n'était donc pas question que je quitte la pièce avant son signal. Je voulais qu'elle sente mon odeur, mon parfum et qu'elle puisse l'apporter avec elle, comme un baume sur son âme. Je me rappelais aussi les derniers vers de son poème :

Et pouvoir m'endormir
Près de toi…une dernière fois, Isabeau.

Eh bien, j'étais là. En chair et en os.

Peu après, Lise s'est accroupie devant moi et m'a tendu la main.

— C'est terminé, Isabeau. Marie nous a quittés. Tu peux y aller maintenant.

J'ai quitté la chambre pour rejoindre Zach et ma mère, et là j'ai craqué. Tellement de peine, mais aussi une délivrance. De la savoir en paix et libérée de tous ces mois d'inquiétudes et de souffrances. J'ai pleuré et pleuré dans les bras de Zach. Je voulais aussi le consoler, l'aider à sortir tout ce qu'on avait gardé en dedans depuis trop longtemps.

— On peut pleurer Zach. On a le droit, Maria est d'accord.

C'est bien vrai ce qu'on dit : verser des larmes, ça soulage, ça rend plus léger, c'est libérateur. J'étais surtout fière d'être restée près d'elle jusqu'à la fin et de ne pas m'être sauvée à l'autre bout du monde. J'avais même pris soin de Zach-le-terrible, en le consolant du mieux que je le pouvais. Je l'ai pris dans mes bras et je lui ai chanté des berceuses de mon enfance, jusqu'à ce qu'il s'endorme, épuisé, à bout de forces et de larmes. Je sentais Maria tout près, vraiment. Un sentiment presque de bien-être m'habitait et cela, à ma plus grande surprise. Ce sentiment, je le devais à Marie-Bonheur, à elle seule. Elle était partie heureuse, libre, en paix, et de la voir ainsi m'avait permis à cet instant de survivre à son départ.

Bien plus tard, alors que le soleil brillait de tous ses feux, Anne et Xavier, ses parents, sont venus nous rejoindre.

Maria s'était envolée.

CHAPITRE 12

L'APRÈS

Quelques jours plus tard, Anne est venue à la maison.
— Marie voulait que je te remette ça. C'est ce qu'elle avait de plus précieux, je crois. Prends-en bien soin, il est à toi.

Son violon. Et une lettre.

Chère Isabeau

Au moment où tu reçois mon cadeau, je suis partie vers les aurores boréales ; les multicolores qui dansent sur l'air de mon violon, au son de L'Adagio d'Albinoni, ton air préféré. Ce n'est pas un cadeau d'adieu, mais un cadeau d'au revoir. Car, même si on ne peut plus se toucher, se voir, je suis près de toi, comme toi près de moi. Il en sera toujours ainsi, à la vie à la mort.

Par mon violon, sache que je te donne ce que j'avais, avec mes parents, Zacharie et toi, de plus précieux à mes yeux et dans mon cœur. J'ai déjà hâte de t'entendre en jouer. Ce sera si beau, si doux à l'oreille. Je sais que tu y arriveras.

Tu me manqueras, Isabeau. Merci d'être passée dans ma vie et d'y être restée.

Ne sois pas triste, je suis bien. Je poursuis mon envolée à travers les aurores boréales. Elles me guident vers la Paix et le Bonheur. Ce n'est pas une mort, c'est une nouvelle Vie. Je dois te laisser, je suis si fatiguée.

Je t'aimerai toujours, Isabeau.
Marie-Boréale xx

Son violon au creux de mes bras, collé sur mon cœur, j'ai inondé mon lit.

Puis, il y a eu le vide. Pendant des semaines et des mois, le vide. Cruel et douloureux. Dans chaque pièce, dans chaque instant de ma vie, aussi banal soit-il, toujours le vide. Ils ont tous, à tour de rôle, tenté de le combler, sans le moindre succès. Car ce vide ne leur appartenait pas, il était en moi, à moi. Il avait pour nom Maria.

Au fil des jours, des semaines, je suis passée par toutes les émotions. Je me suis retirée dans mon coin, en essayant de vivre comme si rien n'était arrivé. J'ai repris ma liaison avec Tristan. Puis je l'ai laissé de nouveau. J'ai contesté (je savais comment faire !) mes enseignants, Monique et tout ce qui avait un semblant d'autorité autour de moi. Je suis même allée vivre chez mon père... deux jours ! Quand sa nouvelle poupée m'a annoncé qu'elle souhaitait devenir mon amie, j'ai vite refait mes valises et je suis partie en courant.

J'ai voulu en finir aussi. L'envie de rejoindre Maria était vraiment très forte, très présente. Mais la peur de me tromper de chemin et d'atterrir dans le chaudron du petit Jésus au lieu des aurores boréales m'a donné une sérieuse frousse. Alors, j'ai décidé de rester et de me battre jour après jour. Une bataille de chaque instant contre l'ennui, le silence et l'absence.

Des mois à faire la girouette, à chercher une façon d'oublier. Repartir vers Baie-Saint-Paul et tenter de retrouver Woodstock m'a effleuré l'esprit. Mais il m'aurait renvoyée d'où je venais, et il aurait bien fait ! Alors, j'ai souffert, terriblement.

Puis, un bon matin, sans trop savoir pourquoi, je me suis rendue chez Maria. J'y suis allée machinalement, comme si quelque chose m'y appelait. Et là, j'ai compris. Compris que Marie-Douceur était encore et toujours présente auprès de sa famille. Elle y avait encore sa place, presque autant qu'avant. Ses parents et Zacharie parlaient d'elle comme si Maria n'était, en fait, qu'absente le temps des vacances et qu'elle reviendrait le surlendemain avec ses histoires à conter.

Je les écoutais discuter de leur vie, de leurs nouveaux projets et de leur voyage en… Autriche. Maria rêvait tellement d'y aller. Un pays de montagnes et de musique qu'elle disait. Anne a senti mon malaise.

— Si on va en Autriche, c'est pour se rapprocher un peu de Marie. Je suis certaine qu'une partie d'elle y est déjà.

Ça m'a apaisée. Je les enviais d'avoir cette force de continuer d'être une famille aussi unie et belle qu'avant, alors que moi je m'efforçais, plutôt maladroitement, de reprendre mon souffle et de maintenir ma tête hors de l'eau.

Cette journée-là, j'ai réalisé que Maria était toujours en vie. Que je devais arrêter de vouloir l'enterrer et d'essayer de l'oublier, car je n'y arriverais probablement jamais. Que si sa famille était capable de vivre avec son souvenir, j'étais en mesure de le faire moi aussi.

Je suis donc repartie, le cœur presque léger, comme si j'avais appris que Marie-La-Vie se portait super bien, là-haut, dans ses aurores. Mais j'y suis retournée souvent, question de me confirmer qu'elle était bien là, vivante et près de nous tous.

CHAPITRE 13

ET MAINTENANT...

Je m'appelle encore Isabeau Carpentier-Dumouchel. Carpentier la semaine, Dumouchel de moins en moins souvent. Je suis toujours en vie. En fait, je suis une survivante. Une survivante au même titre que ceux des écrasements d'avions, des naufrages ou des catastrophes naturelles. Je suis une survivante de la mort et de tout ce qui va avec.

Il y a un an, ma meilleure amie, Maria, s'envolait vers les aurores boréales. Celles qui sont multicolores et qui dansent. Je les vois souvent quand je ferme les yeux. Elle s'est envolée avec une partie de moi. Avec mon âme ou quelque chose du genre. Généreuse comme elle était, elle a pris le temps de me laisser le plus bel héritage qui soit : son souvenir. À travers des photos, ses poèmes, sa famille, un bracelet qui, malgré sa fragilité, résiste au temps, sa lettre d'au revoir et, surtout, son magnifique violon.

À chaque fois que j'y touche, c'est comme si j'effleurais sa peau, que je sentais son parfum. Souvent, il dort avec moi.

J'ai changé. Pour le mieux, je pense. Je boycotte depuis un bon moment les Juju et autres psy du genre de ce monde. J'ai plutôt décidé de me prendre en main et de vivre en paix avec la vie et ses absurdités. Je me reconstruis petit à petit, brique par brique, pierre par pierre. Il y a encore des cicatrices ici et là sur mon cœur, mais je me solidifie de jour en jour et je m'assure que tout est bien solide avant d'en rajouter. C'est long, mais ça fonctionne.

Marie-Souvenir est toujours présente auprès de moi. Tous les jours, je la sens là, tout près. Oui, l'ennui fait partie de ma vie, comme la douleur, la peine et l'incompréhension, mais j'apprivoise tout ça à petites doses.

Il y a ma rage aussi, celle qui nous avait rapprochées il y a si longtemps, Maria et moi. Elle est toujours présente cette rage, mais je l'exprime différemment. L'été dernier, quand je me sentais sur le point d'exploser, je me sauvais chez Maria et je sautais littéralement dans les fleurs. Des heures à arracher les mauvaises herbes, à sentir les odeurs, à remuer la terre, des heures... à prendre soin d'elles. J'étais en sueur, sale, j'avais mal partout, mais ça me faisait tellement de bien.

Mon père est toujours aussi absent de ma vie, à mon grand bonheur d'ailleurs. Tellement occupé à s'écouter parler et à flirter avec tout ce qui bouge autour de lui. Ma mère, cette chère Monique, est bien présente. Trop parfois, mais je vis bien avec ça. Sans avoir abandonné le p'tit curé et son église, elle en fait moins une fixation. Elle donne encore ce qu'elle a en surplus en elle, mais j'ai compris que c'était sa bouée de sauvetage. Une bouée de sauvetage rendue nécessaire après une désillusion amoureuse, une trahison cruelle et inattendue et, peut-être aussi, pour tout simplement prendre l'air en paix, loin de sa fille en pleine crise d'adolescence, d'identité ou de je ne sais quoi.

Il y a Kevin. Je garde contact. À chacun de ses séjours à l'hôpital, je me fais plaisir en le visitant. Sinon, on s'envoie une tonne de courriels. Sans prendre du mieux, son état ne se dégrade pas. Il se fait un devoir de me tenir à jour côté cinéma et sorties vidéo. Par sa force intérieure et sa joie de vivre, il m'aide énormément à garder le cap sur ma propre vie, à ne pas trop dérailler et à profiter des petits bonheurs que le quotidien apporte. Ces visites à l'hôpital me permettent de revoir Lise. Je la regarde prendre soin de ses petits malades comme si c'étaient les siens, comme s'ils étaient tous sortis de son ventre. Elle prend soin d'eux de la même façon qu'elle le faisait avec Marie-

La-Magnifique. C'est-à-dire avec tendresse et amour, avec une facilité déconcertante et toute simple à apporter du réconfort et à semer le bien tout autour d'elle.

Et puis mon amoureux s'appelle Tristan, le gars le plus patient et le plus compréhensif de toute la planète ! J'ai encore du front tout le tour de la tête, mais c'est fou comme je suis rendue raisonnable, respectueuse et presque sage. J'ai bien dit presque ! Et j'ai finalement trouvé ce qui me rendait réellement unique : j'ai connu Maria. Que puis-je demander de plus ?

Ah oui, j'oubliais, je joue du violon. Je suis nulle, mais j'adore ça !

Yvan DeMuy

Ce roman n'est pas autobio-graphique, loin de là. Mais n'empêche, qu'il parle de moi.

À 19 ans, j'ai perdu un être cher, ma mère. Elle a perdu son combat contre le cancer. Ce roman est donc né à la suite de cet événement.

Avec *J'étais Isabeau*, j'ai voulu transmettre la douleur vécue par la « survivante » d'une amitié très forte. Il me semblait plus rare de parler de celle qui reste, que de celle qui quitte, qui meurt.

Par mon travail, je côtoie depuis longtemps des adolescentes et les voir vivre intensément leurs émotions m'a inspiré la création de ces personnages.

Ce fut un roman très long à écrire.

Difficile aussi par moments.

Dans la collection Graffiti

1. *Du sang sur le silence*, roman de Louise Lepire
2. *Un cadavre de classe*, roman de Robert Soulières, Prix M. Christie 1998
3. *L'ogre de Barbarie*, contes loufoques et irrévérencieux de Daniel Mativat
4. *Ma vie zigzague*, roman de Pierre Desrochers, finaliste au Prix M. Christie 2000
5. *C'était un 8 août*, roman de Alain M. Bergeron, finaliste au prix Hackmatak 2002
6. *Un cadavre de luxe*, roman de Robert Soulières
7. *Anne et Godefroy*, roman de Jean-Michel Lienhardt, finaliste au Prix M. Christie 2001
8. *On zoo avec le feu*, roman de Michel Lavoie
9. *LLDDZ*, roman de Jacques Lazure, Prix M. Christie 2002
10. *Coeur de glace*, roman de Pierre Boileau, Prix Littéraire Le Droit 2002
11. *Un cadavre stupéfiant*, roman de Robert Soulières, Grand Prix du livre de la Montérégie 2003
12. *Gigi*, récits de Mélissa Anctil, finaliste au Prix du Gouverneur général du Canada 2003
13. *Le duc de Normandie*, épopée bouffonne de Daniel Mativat, Finaliste au Prix M. Christie 2003
14. *Le don de la septième*, roman de Henriette Major
15. *Du dino pour dîner*, roman de Nando Michaud
16. *Retrouver Jade*, roman de Jean-François Somain
17. *Les chasseurs d'éternité*, roman de Jacques Lazure, finaliste au Grand Prix du Fantastique et de la Science-fiction 2004, finaliste au Prix M. Christie 2004
18. *Le secret de l'hippocampe*, roman de Gaétan Chagnon, Prix Isidore 2006
19. *L'affaire Borduas*, roman de Carole Tremblay
20. *La guerre des lumières*, roman de Louis Émond
21. *Que faire si des extraterrestres atterrissent sur votre tête*, guide pratique romancé de Mario Brassard

22. *Y a-t-il un héros dans la salle ?*, roman de Pierre-Luc Lafrance

23. *Un livre sans histoire*, roman de Jocelyn Boisvert, sélection The White Ravens 2005

24. *L'épingle de la reine*, roman de Robert Soulières

25. *Les Tempêtes*, roman de Alain M. Bergeron, finaliste au Prix du Gouverneur général du Canada 2005

26. *Peau d'Anne*, roman de Josée Pelletier

27. *Orages en fin de journée*, roman de Jean-François Somain

28. *Rhapsodie bohémienne*, roman de Mylène Gilbert-Dumas

29 *Ding, dong !*, 77 clins d'oeil à Raymond Queneau, Robert Soulières, Sélection The White Ravens 2006

30. *L'initiation*, roman d'Alain M. Bergeron

31. *Les neuf Dragons*, roman de Pierre Desrochers, finaliste au Prix des bibliothèques de la Ville de Montréal 2006

32. *L'esprit du vent*, roman de Danielle Simard, Grand Prix du livre de la Montérégie – Prix du jury 2006

33. *Taxi en cavale*, roman de Louis Émond

34. *Un roman-savon*, roman de Geneviève Lemieux

35. *Les loups de Masham*, roman de Jean-François Somain

36. *Ne lisez pas ce livre*, roman de Jocelyn Boisvert

37. *En territoire adverse*, roman de Gaël Corboz

38. *Quand la vie ne suffit pas*, recueil de nouvelles de Louis Émond, Grand Prix du livre de la Montérégie – Prix du public et Prix du jury 2007

39. *Y a-t-il un héros dans la salle n° 2 ?* roman de Pierre-Luc Lafrance

40. *Des diamants dans la neige*, roman de Gérald Gagnon

41. *La Mandragore*, roman de Jacques Lazure, Grand Prix du livre de la Montérégie 2008 – Prix du jury

42. *La fontaine de vérité*, roman d'Henriette Major

43. *Une nuit pour tout changer*, roman de Josée Pelletier

44. *Le tueur des pompes funèbres*, roman de Jean-François Somain

45. *Au cœur de l'ennemi*, roman de Danielle Simard
46. *La vie en rouge*, roman de Vincent Ouattara
47. *Mort et déterré*, roman de Jocelyn Boisvert
48. *Un été sur le Richelieu*, roman de Robert Soulières (réédition 2008)
49. *Casse-tête chinois*, roman de Robert Soulières (réédition 2008), Prix du Conseil des Arts du Canada 1985
50. *J'étais Isabeau*, roman de Yvan DeMuy
51. *Des nouvelles tombées du ciel*, nouvelles de Jocelyn Boisvert